scripto

M.T. Anderson

Interface

Traduit de l'anglais
par Guillaume Fournier

Gallimard

Merci à Liz Bicknell et Kara LaReau,
qui m'ont aidé à donner forme à ce livre.

Titre original : *Feed*
Édition originale publiée en Grande-Bretagne
par Walker Books Ltd, Londres, 2003
© M.T. Anderson, 2003, pour le texte
© Éditions Gallimard Jeunesse, 2004, pour la traduction française

A tous ceux qui résistent à l'interface.
M. T. A.

Ô chers et blancs enfants, simples comme des oiseaux,
Jouant parmi les langues en ruine,
Si petits à côté de leurs grands mots incompréhensibles,
Si gais devant les grands silences
Des choses effroyables que tu as faites…

Extrait de l'*Hymne à Sainte-Cécile*,
W. H. Auden

Première partie
Lune

Ta gueule n'est pas un organe

Nous avions voulu aller sur la Lune pour prendre du bon temps. Mais au bout du compte, ce fut un désastre complet.

Nous sommes partis un vendredi. On n'avait rien de mieux à faire. C'était le début des vacances de printemps. Tout le monde s'ennuyait ferme. « Je suis à plat », avait geint Link Arwaker, et Marty avait rétorqué : « Moi aussi, si tu veux savoir. » Autant dire qu'on l'était tous plus ou moins. Il faut dire aussi que, depuis une heure, on jouait à se prendre des décharges grâce à trois fils dénudés qui sortaient du mur... C'est alors que Marty nous a parlé de cette boîte à gravité réduite, sur la Lune. La gravité réduite, on en a vite fait le tour, mais cette boîte-là était, paraît-il, géniale. Le Ricochet, elle s'appelait. Nous avons donc décidé de partir quelques jours avec les filles, de trouver un hôtel sur place et d'aller danser.

Dès le décollage, nos interfaces commencèrent à nous bombarder de renseignements de toutes sortes sur où se loger et quoi manger. Ça avait l'air sympa. Au début, on voyait des images de gens en train de danser et d'autres en combinaison respiratoire avec des ailes en métal. Je me disais : Ça va être géant ! Mais mon enthousiasme est vite retombé dès que nous avons survolé la surface de la Lune, parce que c'était exactement comme d'habitude. Après les deux ou trois premiers trajets, une fois qu'on a lancé les « Nom de Dieu, mec ! C'est la Lune, tu imagines ? La Lune ! », soudain on ne voit plus que des cailloux, l'immensité et des cratères remplis de vieilleries comme des dômes d'habitation abandonnés, des papiers d'emballage et autres détritus.

Ce que je déteste dans l'espace, c'est la sensation de vide et d'ancienneté qui s'en dégage. Est-ce que les autres l'avaient perçue, eux aussi ? Je crois que oui, parce que tout le monde s'est mis à parler plus fort, à désigner toutes sortes de trucs et à se presser autour du hublot de Link.

Dans l'espace, c'est bon d'être entouré d'amis.

Je plains sincèrement les gens qui doivent voyager seuls. Ce doit être l'enfer. Quand on va quelque part avec des amis, en groupe, on se penche les uns vers les autres, on rigole, on communique par interface... La super ambiance, quoi ! Un peu comme dans une publicité pour une marque de jeans ou un machin au nougat.

Histoire d'en rajouter, Link s'est mis à secouer son siège d'avant en arrière, jusqu'à heurter les genoux de Marty. Moi, j'aurais bien aimé dormir pendant les dernières minutes du vol, d'autant qu'il n'y avait pas grand-chose à voir à part quelques machins hors d'usage qui flottaient dans l'espace. Et puis, j'ai tendance à m'endormir après avoir fait la nouba, et je ne tenais pas à arriver trop crevé sur la Lune. Sait-on jamais, il y aurait peut-être des filles sympas à notre hôtel.

Pour être franc, j'espérais assez faire des rencontres. C'était sans doute en partie dû à la désolation des cratères, mais pas seulement. Je pensais aussi que ce serait pas mal d'être de nouveau avec quelqu'un. J'étais célibataire depuis deux mois. Dans les soirées, malgré le monde autour de moi, je commençais vraiment à me sentir seul. Et c'était encore pire au moment de partir. Quand on rentre seul chez soi dans son aérocar, avec l'interface dans sa tête qui chante : « *Voilà la musique qui t'a manqué. Voilà les dernières nouveautés. Écoute.* », on se dit que ce serait bon d'avoir quelqu'un avec qui télécharger tout ça. Quelqu'un avec soi dans l'aérocar, tandis que les lumières de la ville défilent tout en bas et qu'on aperçoit fugitivement les visages verdâtres des mères de famille derrière les vitres des véhicules en train de descendre.

Nous survolions la Lune, donc, et je n'arrivais pas à dormir. Link continuait à faire l'andouille avec son siège. Il le faisait coulisser d'avant en arrière. Marty avait laissé échapper son oiseau, ces faux oiseaux qui faisaient fureur et qu'on voyait partout. Il flottait dans le vide, la gravité étant quasi nulle. Chaque fois que Marty se penchait pour essayer de l'attraper, Link reculait son siège à fond et le lui envoyait en pleine figure. Ils en rigolaient. Marty disait : « Ho, ça va ! Attends que je... » et Link répondait : « Vas-y. Essaie ! Essaie de l'attraper ! » et Marty continuait : « Hé ! Tu commences à me... » Là-dessus, ils riaient comme des bossus et je me faisais l'impression d'être le cousin de province qui demande à dormir alors que tout le monde s'amuse. J'espérais que l'hôtesse finirait par intervenir pour leur dire de la boucler. Mais, depuis que nous avions quitté la zone d'attraction gravitationnelle de la Terre, elle n'avait plus que le mot *duty-free* à la bouche.

Je ne voulais pas somnoler la moitié du séjour. Manque de chance, je m'étais envoyé pas mal d'alcool la nuit précédente, plus un petit bogue de derrière les fagots, et je tenais une sérieuse gueule de bois. Pas vraiment la meilleure façon d'entamer un séjour sur la Lune, sans parler du siège qui revenait sans arrêt dans la figure de Marty qui criait :

– J'essaie de récupérer mon oiseau !

– Vas-y ! dit Link.

Et Marty :

– Tu fais chier, Link ! J'ai des bleus sur les genoux et plein la gueule !

– Baisse la tête. Tends la joue.

Ils rirent de plus belle.

– Okay, fit Marty. Okay ! Dis-moi juste lequel de mes foutus organes tu comptes m'écrabouiller la prochaine fois.

– Relève ta tablette.

– Sérieusement, lequel ? Dis-moi.

– Ce n'est pas un organe.

– Comment ça ?

– Ta gueule n'est pas un organe.

– Bien sûr, que c'est un organe ! Elle est aussi vivante que le reste.

– Vous êtes certains qu'on a assez d'oxygène ? intervint Calista. Parce que j'ai l'impression que votre cerveau n'en reçoit pas suffisamment.

– J'essaie de dormir, se plaignit Loga. (Elle bâilla.) Je suis vidée, je vous jure.

On entendit ensuite un gros *paf !*

– Oh, merde, lâcha Marty en se tenant le visage.

Je me redressai sur mon siège en me disant que je n'arriverais jamais à m'endormir avec ces deux abrutis en train de chahuter sur mon accoudoir.

L'hôtesse rappliqua. Link s'arrêta et lui adressa un sourire qu'elle lui retourna avec l'air de penser : « Quel charmant jeune homme. » Il faut dire qu'il lui avait acheté un gros flacon d'eau de toilette en *duty-free*.

Impact

J'étais donc crevé et de mauvaise humeur avant même de débarquer.

Dès notre sortie de l'appareil, nos interfaces se mirent à cracher des publicités en jet continu. Il y en avait pour des hôtels, des toboggans de boue, des boutiques de souvenirs et des endroits où louer des bras supplémentaires. J'essayais de discuter avec Link mais c'était impossible dans cette cacophonie, si bien que je me contentai de cligner des paupières et de suivre les autres. J'ai oublié pratiquement toutes ces pubs. Je me rappelle seulement qu'elles nous présentaient des trucs étincelants et somptueux alors que, sur le chemin de la salle des bagages, les bouches de ventilation étaient noires de crasse.

Ce fut comme ça tout le temps. La Lune n'en finissait pas. Il y avait Marty, Link, Calista, Loga, Quendy et moi. A l'hôtel, les filles prirent une chambre, et les garçons et moi, une autre. Beaucoup de gens étaient là en vacances, et le hall résonnait des cris des gamins qui rebondissaient dans les airs. L'hôtel était plutôt minable ; il manquait des draps, la gravité était quasi nulle et comme aucun de nous n'avait l'âge légal, le minibar était resté verrouillé.

– Ça craint, commentai-je.

– Pas du tout, rétorqua Marty, c'est là que je suis descendu la dernière fois. C'est très bon marché, et le personnel est pour ainsi dire transparent.

Nos interfaces enfin libérées du flot des publicités lunaires, nous regardâmes un match de football américain. De leur côté, les filles communiquaient par interface. Nous ne pouvions pas les entendre, mais elles n'arrêtaient pas de s'esclaffer et de se toucher le visage. J'aurais voulu dormir, seulement, chaque fois que j'essayais, *boum !* Link et Marty me tombaient dessus en s'écriant : « Bon sang, Titus ! Tu as vu ça ? Tu as vu ce que vient de faire Hemmacher ? » Je tâchai de me dire que je n'étais pas venu ici pour piquer un somme mais pour m'éclater avec les copains. Et je m'efforçai de me concentrer sur les stimuli, les bons côtés, tout ça.

Il n'y avait pas que des bons côtés, cependant. Les nutriments IV commandés au room-service nous filèrent la migraine et, quand nous arrivâmes devant ce restaurant où – selon Marty – on servait les meilleures pépites d'électrolytes du secteur, il avait fermé depuis un an. Il se faisait tard, on a donc choisi d'aller dîner dans une Extravagance Familiale J. P. Barnigan. La nourriture n'était pas mauvaise et rappelait celle de chez nous. On nous a présenté des pelures de pommes de terre en amuse-gueules. Je n'étais pas fâché de me retrouver hors de l'hôtel. Partout ailleurs, la gravité était plutôt correcte et, quand on lâchait un truc, au moins, ça tombait. J'aime que les choses se déroulent à peu près normalement.

Nous retournâmes à l'hôtel. Il y avait plusieurs fêtes, mais principalement réservées aux lycéens. D'habitude nous arrivons à entrer, surtout Calista, Link, Marty et moi. Calista est blonde, et elle sait jouer de sa voix et de ses épaules pour se donner des faux airs de princesse impériale qui la font passer pour plus âgée qu'elle n'est. Link est grand, moche comme un pou mais très, très riche ; ce genre de richesse qu'on voit parfois irradier d'une personne avec des *mip, mip, mip* comme des ondes invisibles, et qui pousse les gens à s'exclamer « Mec ! Hé, mec ! » pour lier connaissance avec elle. Marty, son truc, c'est qu'il est bon dans tous les domaines, à n'importe quel jeu. Moi, je reste silencieux, et je la joue cool. A nous tous, nous formons vraiment une fine équipe, à tel point que, la plupart du temps, on nous laisse entrer et on nous offre une bière.

Pas cette fois-ci. Nous essayâmes différentes soirées mais, chaque fois, les gars à l'entrée nous regardèrent en disant : « Heu... Vous êtes qui, au juste ? »

Il faut reconnaître que nous ne payions pas de mine. Nous étions fatigués, à moitié endormis et, bien que nous soyons tous assez beaux, sauf Link, nous avions le teint blafard et les cheveux gras. Nous avions aussi ces lésions qui touchaient de plus en plus de monde ; elles étaient rouges et humides. Link en avait une à la mâchoire, moi sur le bras et sur les côtes. Quendy en avait une sur le front. On les discernait très bien dans l'éclairage du couloir. Il en existe différentes sortes, disons qu'il y a lésion et lésion, mais les nôtres, dans ce cas précis, avaient quelque chose de puéril.

Plus tard, après avoir pris une douche, nous allâmes au Ricochet. La gravité était réglée très bas et l'idée consistait à se rentrer les uns dans les autres en combinaisons rembourrées. Le genre d'endroit qui avait dû être à la mode un an et demi plus tôt. « Cognez-vous les uns les autres ! » disait le slogan. Dorénavant, ce n'était plus qu'une boîte démodée et sinistre. Les murs étaient constellés de traces d'impacts.

Même avec son casque de protection sur la tête, Link se détachait du lot. Il est beaucoup plus grand que tout le monde, parce qu'il est le fruit d'une expérience patriotique secrète. Dans cette gravité réduite, on aurait dit qu'il avait des bras partout. Il les faisait mouliner en tournoyant sur lui-même. Moi, j'y allais plus doucement, à cause de ma lésion sur le bras. Elle s'était ouverte, et elle suintait. Dans un premier temps, ce fut assez amusant de nous élancer d'un mur à l'autre en fonçant, vvvvvaoummm, et de nous écraser les uns contre les autres, puis de retomber doucement sur le sol.

Du coin de l'œil, j'observais Loga. Elle et moi étions sortis ensemble six mois plus tôt, jusqu'à cette horrible dispute. Quelle scène alors ! Elle m'avait asséné quelque chose du genre : « Je ne veux plus jamais te revoir », et j'avais répliqué un truc comme : « Parfait. Ah ouais ? Parfait. Achète-toi des lentilles opaques. » Maintenant nous étions amis, et ça valait aussi bien. C'est toujours navrant de voir un gars et une fille qui sortent ensemble ne plus s'adresser la parole. Je me disais aussi que Loga et moi, on pourrait peut-être se rabibocher, à supposer qu'on ne trouve personne, sur la Lune ou ailleurs.

Je n'en pinçais pas pour Calista ni pour Quendy, ni même (vraiment) pour Loga. Mais je regardais Link leur rentrer dedans et, à chaque contact, on sentait passer entre lui et les filles un courant sensuel qui faisait partie du jeu.

J'étais malheureux parce que si Loga et moi avions formé un couple, désormais, quand je lui rentrais dedans à toute vitesse, cela n'avait rien à voir avec la façon dont elle et Link pouvaient se cogner. J'estimais qu'elle et moi aurions dû avoir une manière bien à nous d'entrer en collision. Mais, la plupart du temps, nous nous croisions sans nous toucher.

Marty, qui est capable de briller dans tous les domaines, se livrait à des exercices de voltige. Il shootait dans un ballon en lui faisant décrire des cercles parfaits.

– Envoie, lui dit Link.

Marty lui passa la balle, qu'il me transmit.

Le jeu se poursuivit un moment. Nous virevoltions dans tous les coins, en faisant du... – comment ça s'appelle déjà quand on glisse au ras du sol, avec les bras en croix ? –, mais naturellement, Marty se mit à gagner à tous les coups et Link, qui n'aime pas perdre, grommela :

– J'en ai marre. Ça craint.

– Envoie la balle, dit Marty. Qu'est-ce qu'il y a ?

– Elle est nulle, cette boîte.

– Allez, donne-lui une chance.

Mais Link secoua la tête.

– Non. Z'avez qu'à continuer sans moi. Faites joujou entre vous.

Brusquement, le jeu nous parut complètement stupide. Et puis je remarquai que quelqu'un nous observait. Je n'appréciais pas beaucoup cela. Je me tournai pour lui faire face.

C'était la plus jolie fille que j'avais jamais vue.

Elle nous regardait faire les idiots.

Elle se tenait dans le sas qui menait au bar. Elle avait son casque de protection sous le bras. Ses cheveux blonds étaient coupés très court. Son visage, on aurait dit, je ne sais pas... Elle était magnifique. Ce n'était pas simplement son apparence, mais également sa façon de se tenir. Je me contentai de la dévisager fixement. Mon interface m'étourdissait de pubs en provenance du bar et, à ce prix-là, les gommettes de hasch étaient données.

Je restais là, à me demander ce qui la rendait si belle. Elle, elle nous regardait comme si nous étions de la crotte.

Sa colonne vertébrale. C'était peut-être sa colonne, plus que son visage. Elle avait une colonne, comment dire, une colonne...

« Souple », me suggéra l'interface.

... séduit par sa puissante sustentation fermion T44 offrant une poussée verticale de cinquante pieds par seconde – et si vous recherchez le confort, la qualité et le style, la garniture intérieure souple et le tableau de bord ergonomique vous combleront d'aise. Mais son meilleur atout reste son financement – avec un taux annuel de 18,9 %...

... EN EXCLUSIVITÉ SUR SPORTS-VOX – PRENEZ UN HOMME, UN TRAÎNEAU À GAZ ET UNE TEMPÊTE DE CHLORE SUR JUPITER ET, LES AMIS, C'EST L'HEURE DE JOUER LES TROMPE-LA-MORT EN COMPAGNIE D'ALEX NEETHAM, LE PLUS TÉMÉRAIRE, LE PLUS CÉLÈBRE, LE PLUS CINGLÉ...

... dernières collections été, et le mot qui vient spontanément à l'esprit est « galbant »

... leur fameux tube Si fort *:*
« Je t'aime si fort,
Tu m'aimes si fort.

On est si forts,
On aurait tort
De ne pas s'entendre,
Oh, mon amour.
Nous deux, ensemble,
Oh, mon amour…»

… Les restaurants familiaux Hôtesse Amérique.
Où le temps suspend son vol quand vous mâchez.®

Jus

Je la suivis à la première occasion.

Elle s'était installée au bar, dos au sas. Elle était sanglée dans son siège pour éviter de flotter au moindre geste brusque. Je commandai en guise d'en-cas un tube de mousse au chocolat. D'une main, je m'agrippai au comptoir.

Je l'observai par-dessous. Elle avait ôté sa combi-naison protectrice qu'elle avait posée en boule à côté d'elle. Son casque était accroché à une patère un peu plus loin.

J'aspirai une gorgée de mousse au chocolat, puis l'observai de nouveau. Elle portait une robe de laine grise. Pas du synthétique, rien qui reflète la lumière ; de la laine. De la simple laine grise. Et des collants noirs.

Elle avait les épaules voûtées, comme si elle avait voulu passer inaperçue. Elle se tenait simplement assise là, attachée dans son siège.

Les autres franchirent le sas à leur tour. Je gardai la tête baissée. Je ne voulais pas qu'ils s'exclament : « Hé, Titus, qu'est-ce que tu fabriques ? » et qu'elle me remarque. Ç'aurait été gênant. Heureusement, Link et Marty se lancèrent dans des acrobaties et s'attirèrent des ennuis. Je poursuivis donc tranquillement ma surveillance pendant qu'un type du bar hurlait qu'il était interdit de rebondir hors de la salle prévue à cet effet.

Derrière la fille en gris se trouvait une grande fenêtre, et on pouvait voir qu'on était dans une bulle, très haut au-dessus de la Lune. En bas, des touristes pilotaient des sortes de protéines géantes à travers les cratères. Toutes les étoiles étaient éteintes.

A l'entrée du sas, le type continuait à beugler : « Blablabla, … foutre le camp d'ici, blablabla, savez pas lire le règlement ? »

Je détournai la tête pour regarder la fille en gris.

Croyant que personne ne l'observait, elle ouvrit la bouche. Quelque chose tremblotait à l'intérieur. Du jus. Elle avait du jus plein les joues.

« Blablabla, question de responsabilité, blablabla, vous ne vous rendez pas compte ! »

Je changeai de position et contemplai le jus. Pour s'amuser, elle le recracha doucement, sensuellement.

Pour cela, elle ouvrit la bouche et poussa le liquide avec sa langue. Le jus jaillit d'entre ses lèvres comme s'il en était arraché avec amour par un dentiste de renommée internationale. Elle avait les yeux mi-clos et, dans la gravité réduite, le liquide sucré se répandit en somptueuses ondulations pourpres.

Il flottait devant elle, en suspension à quelques centimètres de son visage. Sa langue s'avançait juste derrière, figée en l'air comme une limace de pierre rose.

A travers ses paupières entrebâillées, elle suivait les tourbillons aériens de la boisson.

La grille du visage

Link me chuchota à l'oreille :

– Ça craint, cette boîte.

– Du tout ! s'insurgea Marty. Elle est chouette.

– Disons que si certains d'entre nous n'avaient pas essayé de jouer à saute-mouton sur les clients du bar, intervint Calista, nous ne serions pas en train de faire ces têtes d'enterrement.

Marty n'appréciait pas d'entendre dénigrer son idée, et moi j'avais envie de leur dire de la boucler, pas méchamment, mais parce que je me rendais compte que nous ne devions pas avoir l'air très malin. Si quelqu'un nous entendait, comme cette fille, par exemple, on devait passer pour des idiots.

Je tripotais les aimants de mes bottes en m'appliquant à ne pas la regarder. Je ne voulais pas qu'elle sente que je l'observais, avant d'avoir tenté une approche. J'étais prudent. Quendy et Loga partirent en direction des toilettes parce que la mode en matière de coiffure venait de changer.

Après un regard noir à Link, Marty s'éloigna. Link et moi commençâmes à discuter de la fille par interface. *Elle est d'enfer*, lui dis-je, et lui de répondre : *Elle est en quoi, sa robe ?* Et moi : *En laine. De la laine comme sur un animal.* Puis Calista vint se mêler à la conversation en demandant : *A propos d'animaux, vous connaissez celle des deux crétins qui louchent sur une fille avec des airs d'homme de Cro-Magnon ?*

Cela nous cloua le bec. Nous détournâmes les yeux vers la baie. Des serviettes en papier tournoyaient dans l'espace comme des oiseaux.

Quendy revint des toilettes.

– Dites ! s'écria-t-elle. Vous auriez pu m'avertir que ma lésion était en train de s'étendre !

– Arrête, dit Calista, elle n'a pas pris un centimètre.

– Tu parles ! Elle sera bientôt plus large que ma tête ! Je vais devoir porter un chapeau, rien que pour lui permettre de s'étendre sur le bord.

– Lâche-nous un peu, dit Link. Personne n'y fait attention, à ta lésion.

– Je ne vois pas qui pourrait la rater. Énorme comme elle est, en plein milieu du front ; il ne manquerait plus qu'elle résonne. *Booonnng !*

Elle fit trembler ses mains autour de sa lésion comme s'il s'agissait d'un gong.

Loga intervint :

– Personne ne verra rien.

– Et puis, fit observer Marty, on ne te connaît pas, ici ; les gens ne feront pas la différence.

– Oh. Mon front qui saigne, tu crois qu'ils vont s'imaginer que c'est normal ?

– Demande-lui, dit Link en désignant la fille en gris. Mademoiselle, puis-je vous demander de regarder notre amie et de nous dire si vous remarquez quoi que ce soit ?

La fille se tourna pour examiner Quendy.

– Elle n'est pas si vilaine, cette lésion, dit-elle.

Quendy ouvrit les mains en un geste de supplication.

– Vous voyez ? Elle a compris tout de suite. Je n'ai plus qu'à me jeter dans l'espace !

– Arrête, fit Calista. Écoute ce qu'elle a à dire.

– Je l'ai remarquée à cause de mon cou, expliqua la fille.

Sa lésion était de toute beauté. On aurait dit un collier. Un tour de cou violacé.

– Le visage, poursuivit la fille, est une grille. Il est divisé par deux lignes imaginaires, une verticale, qui le coupe en deux, et une horizontale, juste au-dessus des pommettes. Enfin, c'est ma théorie. Ces lignes se croisent au niveau du nez. Plus une lésion interfère avec ces lignes, plus elle se remarque. Les plus difficiles à porter sont celles qui se trouvent juste sur le nez. Dans ton cas, la tienne longe une des lignes. Aucune importance. Elle n'est pas sur une ligne. (Elle défit ses sangles, leva les mains et plaça ses deux pouces en opposition pour encadrer le visage de Quendy.) Tu vois ? Ta lésion se trouve *au bord* de ton visage, donc elle le *souligne*. Elle attire l'attention sur lui. Elle est sur la bonne grille. Tu as une très jolie grille. Enfin, excusez-moi, je parle à tort et à travers.

On était tous bouche bée.

– Ouais, fit Calista, troublée. Elle a raison. Ça souligne ton visage.

La fille en gris tapota sa propre lésion avec une serviette en papier.

Elle dit :

– Je voudrais que la mienne fasse le tour de mon cou. Comme un collier. Pour l'instant, c'est seulement un torque.

Nous la fixions avec de grands yeux, comme si elle était une extraterrestre. Elle sourit. Nous continuions de la regarder.

– Il y a des moments comme ça où on aimerait bien passer à travers le plancher, dit-elle. Mais ensuite, on se rappelle qu'en dessous, c'est le vide spatial.

– Hé, fit Marty. Moi, j'ai une lésion sur le pied. Tu veux la voir ?

Elle sourit gentiment.

– Non merci, non.

Link indiqua son visage et s'écria :

– Hé, et ma lésion à moi ? Regarde comme elle est belle ! Elle saigne, parfois. Tu aimes ?

Elle minauda.

– Oh, mmm-hum, répondit-elle. Sur toi, la suppuration fait un super effet.

Link trouva la réponse hilarante. Bien entendu, il n'avait pas la moindre idée de ce qu'elle voulait dire. Il s'esclaffa néanmoins, tandis que chacun d'entre nous cherchait encore le mot « suppuration » dans son dictionnaire d'interface.

Elle occupait désormais la plus haute marche sur notre échelle d'appréciation. Sauf en ce qui concernait les filles, qui s'étaient lancées dans une grande discussion par interface. On aurait dit des fourmis venant d'apprendre qu'on avait enterré un missionnaire au beau milieu de leur fourmilière. D'un côté, je trouvais que c'était la personne la plus incroyable que j'avais vue de ma vie, même si elle était drôlement bizarre. De l'autre, j'étais un peu déçu de la voir flirter avec Link Arwaker. Il attire toujours les filles comme un aimant, alors qu'il se comporte avec elles en connard fini, avec ses remarques débiles du type : « Oh, et si on s'intéressait plutôt à *ma* lésion ? Parlons un peu de *moi* et de *mes* plaies ouvertes. »

Marty tenta de regagner le terrain perdu.

– Tu aimerais peut-être changer mon pansement ? proposa-t-il.

Il ne réussit qu'à écœurer tout le monde.

– Mais personne n'a envie de voir ton foutu pied.

– Pitié, Marty, épargne-nous tes visions cauche-mardesques ! s'entendit-il répondre.

Link continuait :

– Comment tu t'appelles ? D'où tu viens ?

La fille se tourna alors vers moi. Directement vers moi, et je compris qu'elle se demandait ce que je pensais de mes copains, de leurs tentatives d'approche, du flirt et tout ça. Elle attendait que je dise quelque chose, pour voir si j'allais faire le malin comme Marty et Link. Je me demandai si elle avait envie que je fasse le malin. D'après ce que j'avais entendu, elle avait l'air plutôt intelligente, et jolie avec ça. J'avais toujours en tête cette boule de jus en suspension devant son visage – la beauté de ce liquide accouché délicatement de ses lèvres, sa perfection, et la manière dont sa langue l'avait accompagné vers ses premiers pas hésitants dans le monde.

Mais je n'avais rien à dire.

Elle et les filles passèrent près d'une heure à s'occuper des cheveux de Quendy de manière à mettre sa lésion en valeur. D'habitude, Quendy n'est qu'une pâle copie de Calista. Elle le sait, et elle en souffre. Mais cette fois, grâce à l'intervention de la fille, ce fut différent. Elle devint le centre du monde pendant un long moment.

C'est pour ça que je ne pouvais pas détacher les yeux de la fille en gris, et que je me mis à désirer, plus que tout ce soir-là, sortir avec elle.

*... d'après l'histoire véridique d'un clone femelle
en guerre pour sauver son foie de l'impitoyable et cruel
savant fou qui le cultive pour ses organes.*

Nature... contre Nourriture.
Un film interface événement, en prime-time sur Primus.

*Image d'une fille en train de sangloter en plein
prétoire.*
*– Je ne suis pas une simple copie ! Je vous en prie,
juge Spandex ! Je suis moi aussi un original !
Je ne suis pas un produit, mais une personne !*

*Image d'une fille braquant un blaster contre la tempe
de sa jumelle.*
*– Souviens-toi, espèce de garce. Dans danger,
il y a ADN.*

Blam.

*... le cola aux arômes rafraîchissants de beurre
et d'agrumes...*

... l'aventure sans quitter son fauteuil...

Calculator. Des solutions nouvelles pour...

*... C'est la danse. La danse, la danse, la danse. C'est
le plaisir. Le plaisir du plaisir, et le plaisir, vous y êtes*

*jusqu'au cou. Comment faire autrement ? Vous voyez
les corps ? Vous sentez le rythme ? Alors, venez vous
éclater avec nous. Venez lever la jambe en compagnie
des plus grandes célébrités. Venez vous secouer en
cadence jusqu'à ce que votre tête explose, que les veines
de vos proches se détachent en rameaux lumineux sur
le ciel nocturne et que le plaisir s'imprime en lettres
de feu dans votre cerveau – le plaisir, les lumières,
et l'effet Doppler des cris d'excitation qui retentissent
à travers Le Tourbillon. Le Tourbillon.*

*Le Tourbillon : un océan de chaos dans la mer
de la Tranquillité.*

Images d'une cascade de Coca en train de ruisseler
sur le flanc d'une montagne escarpée ; d'enfants
brandis bien haut face au soleil ; de lames fauchant
l'herbe ; d'une main, tendue vers le soda comme celle
de Dieu lors de la Création ; de garçons en T-shirt
Gap jaillissant d'une fusée ; d'autres qui suivent, avec
des casques en fer-blanc ; qui plongent sur le Mon-
tana avec leur combinaison Nike antigrav' ; d'un
chœur de Jamaïquaines vêtues de robes chasubles et
de panneaux solaires autocollants ; de nettoyeurs à
sec en train de repasser des prothèses de fesses pour
les riches ; d'amis s'accrochant à des oiseaux en
alliage ; d'équipiers flics en train de sauter par-dessus
des barrières ; de neige ; d'altitude ; de larmes ;
d'étreintes ; de nuit.

La Lune dans la maison de l'ennui

Elle était venue seule sur la Lune. C'était les vacances de printemps, et elle se trouvait sur la Lune, au milieu de toute cette folie, sans un seul ami. Elle disait qu'elle se promenait parmi les gens, et regardait. Elle remarquait plein de trucs extraordinaires, selon elle. Elle prétendait être là pour observer.

Elle avait vu de grands rassemblements sous les dômes, le soir ; les gens s'arrosaient de Gatorade à la lance d'incendie, et tous ces lycéens torse nu dansaient, les bras levés. Elle avait vu une coccinelle descendre le long des allées en distribuant des prix qui avaient l'air très chouettes mais qui, d'après elle, étaient plutôt minables, à y regarder de près, parce que toutes les pièces n'étaient pas incluses. Elle avait vu des piscines remplies de mousse.

Elle s'appelait Violet.

Nous lui proposâmes de venir avec nous. Tout le monde avait envie d'aller dormir, à ce moment-là. Mais nous étions sur la Lune, quand même, et c'était les vacances, la folie, et le reste. Pour rien au monde nous n'aurions avoué notre fatigue. Quelqu'un suggéra d'essayer une boîte appelée Le Tourbillon. On en avait entendu parler dans l'interface.

– Je ne sais pas trop, dit-elle.

Alors, moi :

– Il faut que tu viennes. Tu n'as qu'à venir et, tu sais, observer.

Marty dit :

– Ça va être, heu, heu, tu sais, ça va être...

Il fit un geste indescriptible avec la main.

– Présenté comme ça..., fit-elle avec un sourire.

Calista s'esclaffa. Je compris alors que Calista allait soit l'adorer, soit la haïr.

Après plusieurs minutes de marche, on se rapprochait plutôt de la haine que de l'amour, parce que Marty, Link et moi étions tous autour de Violet en la bombardant de questions. Elle nous renvoyait d'autres questions auxquelles nous nous empressions de répondre, et je ne crois pas que les filles appréciaient tellement de nous suivre quelques pas en arrière.

Link déclara qu'il voulait se prendre une cuite avant d'y aller, et demanda s'il y avait un endroit où l'on pouvait boire sans code d'identification ? Marty répondit qu'il connaissait le Coin du Sombrero. Il y était déjà allé avec son cousin. Cela ne faisait pas un gros détour.

Une fois sur les lieux, on découvrit que l'établissement avait été rasé. Un petit centre commercial en stuc se dressait à la place. Loga et Quendy proposèrent d'entrer pour faire quelques emplettes. Tout le monde fut emballé par cette idée. Je voulais m'acheter quelque chose, mais je ne savais pas quoi. Après un moment, le lèche-vitrines finit par nous lasser ;

tout nous paraissait terne, nous n'avions plus envie de rien. Nos interfaces firent de leur mieux, en nous indiquant les tarifs des produits devant lesquels nous passions. La seule chose dont j'avais vraiment envie, c'était une paire de genouillères à infrarouge, et je pouvais en trouver de meilleures sur le réseau – livrables à domicile par-dessus le marché – que dans ces stupides boutiques lunaires. Quendy s'acheta des chaussures, qu'elle cessa d'aimer à la minute où elle sortit du magasin. Marty, ne trouvant rien à son goût, finit par se commander une chemise complètement ringarde. Lui-même la trouvait si moche qu'il admit que cela revenait pratiquement à ne rien acheter.

Il commençait à se faire tard et nous voulions aller en boîte. Comme nous n'étions toujours pas saouls, Link suggéra de prendre un taxi jusqu'à l'hôtel et de forcer la serrure du minibar.

A cause des manifestations, la circulation était difficile dans les rues tubulaires. Elles étaient pleines de ces gosses, cette Euroracaille comme l'appelle mon père, qui bloquaient le carrefour en diffusant leurs slogans. Difficile de les rater, tant ils étaient hargneux, mais le taxi ne prit pas la peine de ralentir et ils ne tentèrent rien pour lui barrer la route. Ils protestaient contre tout et n'importe quoi ; certains scandaient même des slogans hostiles à l'interface. Ils beuglaient : « Me faire greffer une puce dans le crâne ? Plutôt crever ! Me faire greffer une puce dans le crâne ? Plutôt crever ! » Loga roula des yeux, l'air de penser : « Oh, mon Dieu ! »

Nous regagnâmes l'hôtel. Des gamins couraient dans les couloirs avec leurs faux oiseaux. Les faux oiseaux étaient toujours à la mode. C'était ridicule ! Ils ne savaient même pas voler, ni chanter, ni rien.

Nous allâmes dans la chambre des filles, et nous nous attaquâmes au minibar. Je voulais faire vite, parce que Violet avait l'air de s'ennuyer. Elle était assise, toute raide, sur le lit.

– On en a pour une seconde, lui dis-je.

Elle hocha la tête, plus par politesse qu'autre chose.

– C'est quoi, son problème ? murmura Calista à l'oreille de Link.

On essaya d'abord avec un peigne, puis à coups de pied. En désespoir de cause, on décida de projeter le minibar contre les murs, ce qui n'était pas très difficile, compte tenu de la gravité réduite.

– Tu as cassé un... un machin, dit Marty. Merde, tu as cassé un truc.

– Un flacon, dis-je.

– Un flacon, confirma Link en pointant le doigt vers mon nez. C'est ça.

Quand le meilleur moment de la soirée consiste à placer le mot « flacon » à bon escient, c'est vraiment le signe que vous prenez du bon temps.

Violet était assise au bord du lit, à se mordiller le pouce. Elle avait les épaules voûtées et les pieds en dedans. En fait, les filles avaient toutes un peu l'air absentes. Calista et Loga, les yeux dans le vague, regardaient un truc sur l'interface.

– Fait suer ! s'écria Link en décochant un coup de pied au minibar. Je veux me cuiter !

– Ouais, mais c'est pas possible, répondis-je. Allez, on y va.

Marty dit alors :

– On pourrait peut-être boguer un coup.

– Oh, c'est pas vrai, soupirèrent Loga et Quendy en roulant des yeux.

Violet semblait vraiment mal à l'aise, cette fois-ci. A l'évidence, elle aurait préféré être n'importe où, sauf ici avec nous.

Link dévisagea les filles.

– Où est le problème ?

– Laisse tomber, Link, dis-je. Pas question.

– On m'a parlé d'un site génial appelé Le Grille-Cervelle. Quatre-vingt-cinq dollars, un clic, et tu es totalement ravagé pendant une heure et demie. Impossible de distinguer le haut du bas. C'est de la grosse, grosse défonce, et pour pas cher.

– Génial ! s'exclama Marty. On y va !

Link répondit :

– OK. Alors...

– Laissez tomber, les mecs, répétai-je. Personne n'a envie de se fracasser.

– Parce que moi, je ne compte pas ?

– Tu veux dire, en termes de sex-appeal ? intervint Calista.

– Ouille ! fit Marty.

Link grinça des dents.

– Ferme-la, Marty.

Oubliez ça, les garçons. La fille a l'air méga-hostile à l'idée, nous transmit Calista par interface.

Link s'obstinait.

Grille-Cervelle. Grille-Cervelle ! Est-ce que ces deux mots ont une signification pour quelqu'un ?

Ça va, Link. Lâche-nous, tu veux ?

Voyant qu'il n'obtiendrait ni sa défonce, ni sa lobotomie, Link se résigna à garder les idées claires. C'était soirée jeunesse au Tourbillon. On nous laissa entrer sans problème.

Le vacarme était assourdissant. Il y avait de tout ici. On était peut-être un million, avec des lumières incroyables, et une musique à faire trembler la Lune. Il y avait un groupe suspendu au plafond par les bras et les jambes, des trapèzes et des flotteurs qui montaient et descendaient, des danseuses en latex qui ondulaient sur le bar, et tous ces étudiants qui portaient des – bon sang, c'était génial ! –, des sortes de shorts en tachyon, quasiment impossibles à regarder en face. Ils coûtaient 789,99 dollars d'après l'interface, mais on les trouvait à 699 dollars seulement dans la Zone et on pouvait se les faire livrer à l'hôtel pour 78,95 dollars supplémentaires seulement. Et ce n'était qu'un échantillon des fringues délirantes qu'on voyait dans la salle ce soir-là. Je fis un tour d'horizon. J'avais envie de tellement de choses que les prix jaillissaient dans ma cervelle de tous les côtés, *bambambam !* comme pendant un bogue. Loga,

Quendy et Calista étaient déjà sur la piste et mon interface crépitait, étourdie de sons et d'images de danseurs en feu évoluant au rythme de la musique.

Violet me hurla quelque chose. Je ne compris pas un mot. Cela faisait comme : « Blablabla ? Blabla ! »

Je répondis :

– Quoi ?

Sacré spectacle, me communiqua-t-elle par interface.

Ouais, je dis. *Tu ne danses pas ?*

Non. Ils sont tous à l'université, ces types ?

La plupart, je suppose. Regarde ce mec avec le, tu sais, le truc ? Le nœud chauve-souris.

Papillon.

Le nœud papillon.

Il avait la centaine, facile. Il dansait au milieu des filles en latex : un type vêtu d'un vieux veston de tweed crasseux avec de longs cheveux blancs filasse, aux yeux écarquillés comme s'il avait bogué, sauf que je ne crois pas que c'était le cas. Il levait les pouces très haut au-dessus de sa tête.

Et puis, la gravité artificielle fut coupée et les gens commencèrent à rebondir dans tous les sens, leur cravate entortillée. Violet se retint à mon bras. Elle avait l'air vraiment mal à l'aise, comme si elle observait des cafards dans une expérience. Je me disais que ce n'était pas si mal d'être un cafard, tant qu'elle restait cramponnée à moi, et je lui dis par interface :

Ne t'en fais pas. On va redescendre doucement.

Désolée, répondit-elle sur le même mode.

Y a pas de mal.

Non, sincèrement. Je n'avais pas l'intention de t'agripper.

Y a pas de mal.

Je plaçai ma main sur celle qu'elle avait posée sur mon bras. Alors, elle sourit et retira sa main de sous la mienne. Nous étions en train de retomber, genoux fléchis.

Le type en veston de tweed portait un ceinturon propulseur. Il décrivait des cercles à proximité du plafond.

On dirait que tu t'amuses pas des masses, observai-je.

Ça va venir.

Quand ?

Je n'ai pas l'habitude de ce genre de truc.

Tu fais quoi, pour t'amuser ?

Quand ça ?

D'habitude.

C'est la première fois que je viens sur la Lune.

Je veux dire, ailleurs. Tu fais quoi ?

L'homme au nœud papillon s'était approché de nous. Il avait attrapé Link par la tête pour lui crier quelque chose à l'oreille. Link essaya de battre en retraite.

Et toi, tu passes un bon moment ? demanda-t-elle.

La Lune n'est pas vraiment l'endroit idéal pour ça, répondis-je.

La prochaine fois, tu devrais peut-être essayer Mars.

Oh, je suis déjà allé sur Mars, dis-je. *C'est nul.*

Brusquement, elle éclata de rire. *Tu es sérieux ?*

Ouais, je suis sérieux.

Mais enfin, dit-elle. *Mars est une* planète.

Une planète nulle !

Et elle :

Nulle ?

Elle commençait à me courir.

Ouais, nulle, dis-je.

La planète entière ?

Ouais.

La planète entière.

Ouais.

Oh, c'est merveilleux.

La Planète Rouge est une grosse bouse flottante.

Écoute, je ne crois pas qu'on puisse… mais le reste de la transmission se perdit dans la saturation de nos interfaces et la musique reprit, plus forte, tandis que le groupe entonnait *Je vais te baiser.* Je la vis croiser les bras d'un air boudeur. Je boudais, moi aussi. Tout le monde s'agitait, même le vieux bonhomme, tout le monde sautillait, et une mosaïque d'images par interface s'afficha en surimpression sur le sol : danses tribales, matériel avec gourdes, salsas, maisons emportées par des ruptures de digue, femmes en train de sourire, femmes en train de verser de l'huile sur des corps d'homme du bout des doigts, femmes en train d'enlever leurs dentiers, ventres de jeunes filles, mollets de garçons, fusées de « cinéma » d'autrefois en train de décoller, hauts de bikinis, doigts qui s'insinuent dans des narines, silos, soleils... Soudain le vieillard se dressa à côté de nous et tenta de nous hurler quelque chose, mais nous ne pouvions pas l'entendre. Alors il se pencha plus près et nous dit, à Marty, Violet, Link et moi, il nous dit, ou plutôt nous hurla :

– Nous entrons dans une ère de calamité !

Nous le dévisageâmes stupidement.

– Nous entrons dans une ère de calamité !

Tout le monde s'efforça de reculer, sauf Violet, qui semblait perdue. Link nous dit :

– Il est complètement cinglé, ce gars-là. Il a une espèce de...

– Nous entrons dans une ère de calamité ! Nous entrons dans une ère de calamité !

Le vieillard tendit la main et me plaqua une sorte de poignée métallique sur le cou.

Soudain, je me mis à diffuser. Je diffusais sur le canal général, en répétant inlassablement : *Nous entrons dans une ère de calamité ! Nous entrons dans une ère de calamité !* Je ne pouvais plus m'arrêter.

Il avait touché Violet, entre-temps, puis Link, et Marty, et je les entendais, tous, qui répétaient à leur tour : *Nous entrons dans une ère de calamité ! Nous entrons dans une ère de calamité !*

Je sentais que d'autres personnes également avaient été touchées. Marty essaya de nous dire que c'était la première fois que ça lui arrivait, et que c'était plutôt cool, mais en vain : son signal était brouillé, comme les nôtres, et lui aussi répétait en boucle : *Nous entrons dans une ère de calamité ! Nous entrons dans une ère de calamité !* Les gens se tournèrent vers nous. Tout le monde nous regardait. Nous étions debout, en ligne, avec le vieux bonhomme juste devant nous. Les gens s'écartèrent. Les flics arrivaient. Je les voyais approcher. Mais j'étais incapable de bouger.

Je sentis comme un coup de pied dans la mâchoire et je m'aperçus que c'était ma bouche, qui vociférait cette histoire de calamité de toute la puissance de mes poumons. Nous hurlions, nous émettions et, par-dessus le raffut, alors que les flics s'approchaient en fendant la foule, le gars lança cet appel délirant, à voix haute et par interface, cet appel de dément par-dessus notre chœur, qui disait : *Nous entrons dans une ère de calamité. Du sang sur le tarmac. Des doigts dans le broyeur. Des tours d'air gelées dans la désolation lunaire. Des mannequins morts sur la piste, le bassin tourné à cent quatre-vingts degrés. Des enfants au sourire factice indéfectible. Les poulets pourriront dans les allées. Voyez s'écrouler les colonnes.*

Tandis que nous répétions, encore et encore : *Nous entrons dans une ère de calamité. Nous entrons dans une ère de calamité !,* d'autres personnes présentes joignirent leurs voix aux nôtres. Violet semblait aussi effrayée que moi. Je tentai d'attraper sa main, elle essaya de prendre la mienne et les flics furent là, frappant le type sur la tête à coups de matraque et d'étourdisseur. Au moment où il tomba sur un genou, mes doigts trouvèrent enfin son poignet, celui de Violet. Il était incroyablement doux, plus doux que tout ce que j'avais pu toucher auparavant. Comme le cou d'un cygne effleuré par la brise.

Les flics se penchèrent sur nous et nous glissèrent à l'oreille :

– Nous allons devoir vous éteindre momentanément. Nous allons devoir vous éteindre.

Ils nous touchèrent, nos corps s'écroulèrent, et ce fut le néant.

Deuxième partie
Éden

Réveil

La première chose que je sentis fut l'absence de crédit. Quand je voulus accéder à mon compte, il était totalement vide.

J'avais le sentiment de me trouver dans une petite pièce.

Mon corps... j'étais dans un lit, couché sur mon bras que je ne sentais plus, mais j'ignorais où. Impossible d'interroger le GPS lunaire.

Quelqu'un avait laissé un message dans ma tête, disant que la transmission était coupée, que j'étais momentanément déconnecté du réseau. Je tentai de joindre Link puis Marty par interface mais, rien à faire, je n'arrivais pas à établir le contact – évidemment, puisque j'étais momentanément déconnecté. Je commençais à prendre peur, alors j'essayai d'appeler mes parents, de les joindre sur Terre, mais la transmission était coupée, j'étais momentanément, etc.

J'ouvris les yeux.

– Rien, dit-elle.

Je m'étais levé pour aller m'asseoir dans le fauteuil à côté de son lit. Nous étions dans un hôpital. On nous avait mis dans la même chambre.

Link dormait toujours. Des infirmières passèrent. Je dis :

– Je ne vois absolument rien. Par l'interface.

– Non, dit-elle. Et à travers ma blouse non plus. Pas la peine d'insister.

Je souris.

– Tu sais, je me disais simplement...

– Bien sûr. Tu veux un peu de jus de pomme ?

Il y avait quinze, vingt minutes que nous étions réveillés. Le silence régnait dans ma tête. C'était l'angoisse.

– Que fait-on ? demanda-t-elle.

Je n'en avais pas la moindre idée.

Lassitude

Les murs nous entouraient partout. Nous les regardâmes longuement. Nous nous regardâmes. Nous avions tous une sale mine. Nos cheveux, et le reste. Des électrodes fixées sur notre corps surveillaient notre sang et notre cerveau.

Il y avait cinq murs parce que la pièce était irrégulière. L'un d'eux était orné d'une toile représentant une barque. La barque se trouvait sur un étang, ou peut-être un lac. Je ne voyais pas l'intérêt de ce tableau. Il ne montrait rien qui fût sur le point d'arriver ou qui venait de se passer.

Je ne trouvais pas le début du commencement de la raison de peindre un tableau pareil.

Lassitude, encore

On avait prévenu nos parents pendant notre sommeil. Seule Loga n'avait pas été touchée par le pirate. Elle ne l'avait pas laissé s'approcher, le trouvant trop bizarre. Elle avait gardé ses distances. D'autres personnes, des gens que nous n'avions jamais rencontrés, avaient été touchées également. Toutes étaient à l'hôpital. Treize victimes en tout.

Un policier vint nous voir pour nous expliquer que nous resterions déconnectés pendant un certain temps. Ils devaient analyser ce qu'on nous avait fait, vérifier l'absence de virus et décrypter l'historique de nos interfaces à la recherche d'éléments à charge contre le type. Ils disaient l'avoir identifié, que c'était un pirate et un anarchiste de la pire espèce.

Nous avions peur. Nous n'arrêtions pas de nous

toucher le crâne. Tout à coup, notre tête nous donnait l'impression d'être vide.

En tout cas, la gravité de l'hôpital était bien meilleure que celle de l'hôtel.

L'effet de manque

L'interface me manquait.

J'ignore depuis combien de temps les gens ont des interfaces. Cinquante ans, peut-être cent, je ne sais pas. Avant, on devait se servir de ses mains et de ses yeux. Les ordinateurs étaient entièrement externes. On les transportait avec soi, à la main, comme s'il fallait transporter ses poumons dans une mallette qu'on serait obligé d'ouvrir pour respirer.

Les gens étaient très excités quand les premières interfaces apparurent sur le marché. Ils étaient là : « Blablabla, un instrument pédagogique incomparable, blablabla, offrez tous les atouts à votre enfant, les encyclopédies les plus complètes au bout des doigts – et même plus près ! » etc. C'est l'un des gros avantages de l'interface – on peut être hyper intelligent sans avoir à travailler. Tout le monde est hyper intelligent maintenant. On peut consulter n'importe quelle information, je ne sais pas, scientifique, historique, dans quelle bataille de la guerre de Sécession s'illustra George Washington, ce genre de bêtises.

Aujourd'hui, c'est bien plus que ça. On ne prend plus tellement en compte l'aspect éducatif, mais surtout le fait que tout ce qui se produit circule par le réseau : les émissions, les infos instantanées, tout y est, dorénavant. Donc, sans mon interface, je manquais tout, comme les filles qui, elles, rataient leur émission favorite, intitulée *Hein ? Non ! Pas possible...*, avec ces ados si proches de nous à qui il arrivait plein de trucs et qui finissaient toujours par prendre cette expression boudeuse si craquante aux yeux des filles.

Mais le plus chouette avec l'interface, ce qui la rend vraiment géniale, c'est qu'elle sait toujours exactement de quoi on a envie – parfois même avant qu'on le sache soi-même. Elle indique où se le procurer et conseille quand on hésite entre deux achats. Tout ce qu'on pense ou éprouve est recueilli par les corporations, surtout par des firmes d'analyse de données comme Feedlink, OnFeed ou American Feedware. Elles établissent ainsi un profil spécialement étudié pour le client et le transmettent à leurs filiales, ou le revendent à d'autres compagnies, afin qu'elles sachent exactement quels sont les besoins de ce client. Ainsi, il suffit de désirer quelque chose pour avoir de bonnes chances de l'obtenir.

Bien sûr, les gens ronchonnent, « blablabla, les corporations nous manipulent », chacun dit ça, chacun sait qu'elles contrôlent tout. Ce n'est pas la panacée, bien sûr, car qui sait quel tour de cochon elles sont en train de nous préparer en douce ? On en est tous conscients. Mais c'est le seul moyen d'avoir accès à ces trucs, alors inutile de faire la gueule : elles continueront à tout contrôler, que cela nous plaise ou non. D'autant qu'elles assurent un emploi à la quasi-totalité de la planète, alors ce n'est pas comme si nous pouvions nous en passer. C'est tellement extra de pouvoir tout savoir sur n'importe quel sujet, à la demande, de piocher les informations, directement dans son cerveau.

En fait, ce qui me rendait dingue chez les corporations, c'est lorsqu'elles s'avouaient incapables de m'aider. Comme là, alors que je me retrouvais allongé, comme un imbécile, incapable de jouer en réseau ou de communiquer avec qui que ce soit, réduit à perdre mon temps devant ce stupide tableau représentant une barque. Le pire, c'est qu'il n'y avait personne à bord de cette barque, ce qui était encore plus crétin et correspondait assez bien à mon état d'esprit – la voile hissée, le gouvernail en train de, disons, de gouverner, mais sans personne à bord pour regarder l'horizon.

Fond de mémoire

Il me restait quelques pages en mémoire cache, d'avant la déconnexion. Je les parcourus tristement. Je me les repassai plusieurs fois. L'une d'elles était un message émanant du cinglé, qui proclamait : « Vous avez été piraté par la Coalition de la Pitié. » Une autre annonçait des soldes chez Weatherbee & Crotch, que j'avais sans doute ratées à l'heure qu'il était. Dommage, parce que j'aurais aimé profiter de ces offres exceptionnelles. Par exemple, ils proposaient une chemisette avec des poches latérales que j'aurais très probablement achetée, à ce détail près qu'ils ne l'avaient qu'en sable, kaki ou caca d'oie.

Nuit, lassitude toujours

Nous étions samedi soir. Les lumières principales étaient éteintes. Cela faisait une journée que nous n'avions plus reçu aucun signal de l'interface. Nos parents se trouvaient probablement déjà sur la Lune et passeraient nous voir le lendemain matin.

Depuis notre réveil, le lendemain de l'agression, nous avions passé le plus clair de notre temps à fixer les murs. Assis dans nos lits, nous balancions nos pieds contre les barreaux. L'air de *Je vais te baiser* nous trottait inlassablement dans la tête. Chaque fois que l'un d'entre nous se mettait à le fredonner, les autres poussaient des jurons et lui criaient de la fermer. Mais c'était plus fort que nous et, bientôt, nous recommencions à battre la mesure sur nos plateaux avec une fourchette.

Link avait fini par se réveiller, et il faisait les cent pas dans la chambre. Loga passa nous voir dans l'après-midi. Elle discuta avec chacun de nous, en n'arrêtant pas de s'exclamer : « Ohhh ! Ohhh ! », sur un ton désolé, ce qui était gentil, sauf que de temps à autre elle marquait une pause et on voyait bien qu'elle était en train de communiquer par interface avec nos amis restés sur Terre. Parfois, elle oubliait où elle se trouvait et s'écriait à voix haute : « Oh, mon Dieu ! Oui ! Juste là ! » ou : « Allô… ? » ou autre chose qu'elle était en train de dire dans sa tête. Elle riait à des plaisanteries que nous n'entendions pas.

A un moment, elle s'enferma dans la salle de bains, l'air de rien, puis revint les cheveux coiffés différemment. Calista et Quendy l'observèrent attentivement.

Plus tard, sans un mot, elles s'isolèrent à leur tour dans la salle de bains et se coiffèrent de la même manière.

Marty, comme à son habitude, grommelait des propos sans suite : « Rien à foutre. Rien à foutre de ces conneries. » Il aurait voulu sortir, jouer au basket, ou je ne sais quoi encore.

Nous n'avions rien à faire. Violet examinait ses mains posées entre ses genoux. Nos regards se croisèrent. Je lui adressai un petit sourire, histoire de la réconforter. Elle me rendit mon regard et replongea dans la contemplation de ses mains.

Il faisait nuit, maintenant, et seules les veilleuses restaient allumées. Nous étions couchés. Des appareils surveillaient notre pouls, tout ça. On était supposés dormir.

J'entendis Violet se lever et se diriger vers les toilettes. Quelques minutes plus tard, je l'entendis revenir.

– Hé, dis-je.

– Ouais. Hé, dit-elle.

Elle s'arrêta.

– Tu peux..., commençai-je. (Je me redressai contre les oreillers.) Tu ne veux pas t'asseoir une minute ?

Elle prit place dans le fauteuil à côté de mon lit. L'arête de son nez se découpait sur la ligne verte et sautillante de mon pouls.

Cela dura un petit moment. Je me disais : « C'est chouette. On est juste assis là. Pas besoin de parler. »

Je me sentais pleinement heureux. Je me laissai aller en arrière sur mon oreiller.

Je posai les yeux sur son visage. La lueur de mon pouls se reflétait sur ses larmes.

Je dis :

– Tu... hé. Mais tu pleures.

– Oui.

– Tu n'es pas... Tu n'as pourtant pas l'air du genre à pleurnicher.

– Non, reconnut-elle.

Nous restâmes assis. Le silence n'était plus aussi chouette, maintenant. Elle gardait la tête penchée. Je distinguais la ligne de sa joue contre les courbes de mon activité cérébrale, rouges et mystérieuses.

Elle dit :

– Tu veux prendre du bon temps comme quelqu'un de normal, comme n'importe qui ayant une vraie vie – tu essaies de te sentir vivre, ne serait-ce qu'une nuit et... paf ! tu te fais avoir.

– Tu ne t'es pas fait avoir.

– Si. Je me suis fait avoir.

Nous restâmes assis. J'aurais voulu trouver quelque chose à dire pour lui remonter le moral. Je sentais que ça n'allait pas être du gâteau. Je me fis cette réflexion que, parfois, trouver le mot juste ressemble à une sorte de chirurgie du cerveau : il s'agit de pincer précisément la bonne partie du lobe. Sauf que, dans une conversation, les outils de chirurgien s'apparentent plutôt à une vieille brochette rouillée et à ces espèces de pinces avec lesquelles on mange du homard. Mais comme il faut quand même trouver l'endroit exact, on promène la pointe de l'instrument sur le cerveau ; et la patiente n'arrête pas de bouger et de crier : « Ouille ! » Du coup, je n'avais plus envie de me risquer à parler à Violet. Je cherchais des trucs gentils à lui dire, comme : « Je suis bien content que tu sois venue la nuit dernière, parce que ça nous a permis de nous rencontrer », ou : « Je trouve que tu *es* quelqu'un de normal », mais ça sonnait trop mièvre.

Nous nous sommes contentés de rester assis, ensemble, sans rien dire. Ce n'était pas désagréable.

J'espérais qu'elle apercevrait mon sourire à la lueur de mes courbes d'activité cérébrale.

Père

Mon père passa me voir le lendemain matin, en coup de vent. Il se montra très autoritaire, très professionnel. Il s'était mis sur son trente et un, et donnait l'impression d'être prêt à tout régler en deux temps trois mouvements. A en juger par son attitude, nous étions entourés d'incompétents qui n'attendaient qu'une chose : le voir retrousser ses manches et nous sortir de là.

Il me dévisagea en silence pendant quelques secondes, et je dis :

– Quoi ? *Quoi ?*

Il parut surpris, puis cligna des yeux.

– Ah, mince, dit-il. J'oubliais. Pas de communication par interface. Il va falloir parler.

– J'étais déjà au courant. Quoi de neuf ? grognai-je. Comment va Boule Puante ?

– Ton frère a un nom.

– Comment va maman ?

– Elle est, comment dire… ? Elle est plutôt pertur-
bée. Cette histoire l'a… Enfin, c'est vraiment
ennuyeux.

J'étais conscient que Violet nous observait. Elle
écoutait notre conversation. Je ne voulais pas qu'elle
nous juge, qu'elle nous trouve banals, stupides ou je
ne sais quoi.

Mon père me demanda de lui raconter ce qui
s'était passé.

Je l'informai en omettant certains détails, par
exemple notre tentative de fracturer le minibar. Il se
contenta de secouer la tête.

– Ouais… Ouais… Ouais… Ah, ouais ?… Ouais…
Oh, mince !… Ouais.

Finalement, il se leva. Je voyais bien qu'il était en
colère. Il leva les mains au ciel et dit :

– Ils veulent assigner ta mémoire en justice. Le
problème, c'est que… Ah, tu parles d'une histoire !

Après une minute, il dit à un interlocuteur invisible :

– D'accord. D'accord. (Il se tourna vers moi et
m'annonça :) Je dois passer au poste de police.

– Heu… papa ? Quand est-ce que je rentre à la
maison ?

Mon père plaça sa main en coupe contre son
oreille.

– D'accord, dit-il.

Sa bouche tressaillit. Il fit un signe de tête à quelqu'un.

Il me donna une petite tape sur le genou et partit.

Je me retrouvai face au mur et à ce stupide tableau
de barque. J'entendis Quendy demander à Violet :

– Et tes parents à toi, ils viennent quand ?

Elle répondit sèchement :

– Ils sont occupés.

– *Occupés ?*

– C'est ça. Ils travaillent. Je ne crois pas qu'ils
pourront venir.

L'œil du cyclone

Le lendemain matin, on était toujours sans nouvelles. Et on avait sérieusement besoin de se changer
les idées.

Marty inventa un jeu qui consistait à souffler des
aiguilles de seringue hypodermique à travers un
tuyau. Notre cible était un écorché anatomique
accroché au mur, auquel nous essayions de viser les
parties intimes.

Ainsi débuta un grand jour, l'un des plus beaux de
toute mon existence. Nous jouions aux fléchettes,
nous riions, nous chantions *Je vais te baiser*. Tout le
monde était heureux, c'était génial.

A la surprise générale, Violet se révéla la meilleure aux fléchettes. Elle n'arrêtait pas de gagner. Moi, je foirais complètement.

Elle essaya de me montrer. Elle prit ma main et plaça le tube contre ma bouche. C'était très excitant. Elle murmura :

– Aspire. Avec la langue.

Les autres étaient drôlement impressionnés. Link et Marty faisaient des pieds et des mains pour attirer son attention, mais Violet les ignorait superbement et, parfois, elle s'appuyait d'une main sur mon épaule. Elle ne faisait pas semblant, je sentais qu'elle se reposait vraiment sur moi.

Ensuite, Loga passa nous rendre une petite visite. Nous discutions de choses et d'autres quand elle s'interrompit brusquement, parce que c'était l'heure de *Hein ? Non ! Pas possible…*, la série préférée des filles. Elles se mirent à réclamer en chœur :

– Raconte-nous ce qui se passe, raconte-nous ce qui se passe !

Si bien que nous avons fini par nous réunir autour de Loga, vêtus de nos blouses d'hôpital. Elle s'assit en tailleur sur le lit et annonça :

– Bon, alors voilà Greg qui entre, et il… Oh, mon Dieu, il est en train de boguer – il est en plein bogue, et Steph est en train de pleurer sur le sofa. Là, elle lui dit…

Elle nous raconta ainsi l'épisode en entier, en décrivant l'action au fur et à mesure. Nous l'écoutions en souriant. Je ne l'avais encore jamais entendue raconter une histoire aussi bien, elle faisait même les gestes, avec les mains et le reste. Son regard se perdait dans le vide, comme si elle contemplait un autre monde. C'était le cas, en un sens.

– Jackie est... assis à l'avant de la barque. Il lève la main et il dit... Il dit... Oh, mon Dieu, il dit : « Organelle, je t'aime depuis le jour de notre première sortie en mer. »

Quendy s'écriait en frétillant :

– Oh, mon Dieu ! C'est tellement romantique !

– Oh, c'est extra. C'est vraiment extra. On sent la brise nous caresser la peau. L'air est tiède, comme dans ces soirées où on se dit – où on se dit : « On restera jeunes à tout jamais. » C'est ce genre de brise. Oh, si seulement vous pouviez la sentir.

Tout le monde frissonna. Elle poursuivit :

– On sent l'odeur du sel. La Lune est levée. Elle brille très haut dans le ciel, très doucement.

Quendy versa une petite larme.

Violet et moi nous tournâmes l'un vers l'autre. Aucun de nous deux ne détourna le regard.

Nous en étions là, à nous fixer dans les yeux, quand le médecin entra et se mit à gueuler : « Qu'est-ce que c'est que ce foutoir avec les aiguilles dans la salle d'examen ? » Après quoi, il grimpa d'une octave et embraya sur : « Blablabla, matériel médical de haute précision, blablabla, irresponsable et dangereux, blablabla, risques d'infection, blablabla. » Heu-

reusement, la mère de Link l'entendit nous enguir-
lander – elle devient une vraie furie dans ces cas-là –,
et elle vint lui expliquer sa façon de penser. Elle lui
dit que nous venions de traverser une épreuve
pénible, que nous n'étions pas habitués à subir de
tels traumatismes et qu'il devait comprendre que
nous avions besoin d'évacuer la pression. Je n'étais
pas fier, parce que nous avions mis une sacrée
pagaille, et Violet rougissait jusqu'aux oreilles, mais,
au moins, on nous épargna l'expulsion en orbite, la
cyber-camisole ou je ne sais quoi.

J'étais content d'être dans un lit à quelques lits du
sien. Nous pouvions nous faire des petits signes de la
main. Nous parlions de vieilles chansons, de celles
que nous écoutions quand nous étions petits, et de
tous ces groupes débiles qui passaient à l'époque,
sans oublier les modes débiles que nous suivions à
l'école, comme l'année où la tendance à L.A. et
ailleurs consistait à s'habiller à la manière des pen-
sionnaires de maison de retraite. C'était alors du dernier chic, si bien que tout le monde portait des pantalons en Stretch et des gilets en velours. Calista
s'était acheté un de ces stupides déambulateurs chez
Weatherbee & Crotch. Des publicités grotesques
recommandaient même de remonter son pantalon
jusque sous les bras ! Violet m'avoua qu'elle avait
gardé une canne chez elle.

Au moment du dîner, alors que nous étions assis
côte à côte sur son lit, elle me dit :

– Je me plais bien, ici.

– Bizarrement, moi aussi, dis-je.

– Nous sommes peut-être dans l'œil du cyclone.

– Hein ?

Elle haussa les épaules.

– Tu sais. Le calme avant la tempête.

Le jardin

Violet se trouvait quelque part en train de discuter avec le médecin. Je dis « quelque part », parce que nous utilisions la salle d'examen pour souffler des aiguilles sur les parties intimes de l'écorché anatomique.

Link et Calista se tenaient très près l'un de l'autre, à côté du bain à vibrations, et je compris qu'ils avaient sans doute décidé de se mettre ensemble. Apparemment, Calista avait surmonté son aversion pour la bêtise de Link. Tant mieux ! C'est un chic type. Quendy, assise à table, les observait d'un regard mauvais.

Violet revint de son entretien avec le médecin. Elle avait la mine sombre. Je lui demandai ce qui n'allait pas. Elle me répondit qu'elle avait découvert un endroit qu'elle voulait me montrer. Je la suivis. Nous sortîmes dans le couloir. Les cris provenant de la salle d'examen s'estompèrent aussitôt. Nous traversâmes plusieurs tubes successifs. Des gens nous croisaient en flottant sur des fauteuils automatiques.

Violet marchait devant moi. Ses pantoufles faisaient *fitik, fitik, sliss, fitik* sur le sol. C'était un son léger, comme celui d'une bouche qui s'ouvre et qui se ferme. Je la détaillais de dos. Chaque fois qu'on s'arrêtait pour attendre un tube, elle soulevait la cheville de manière à faire sortir son pied de sa pantoufle et, du bout des orteils, la faisait glisser d'avant en arrière. Elle massait le sol. Quand le tube se libérait, elle remettait sa pantoufle et reprenait sa marche, *fitik, fitik, sliss, fitik*, comme avant.

Elle me conduisit jusqu'à une large baie vitrée. Nous nous arrêtâmes devant. Dehors, je vis ce qui avait dû être une sorte de jardin. Enfin, je crois qu'on appelle cela une serre, ou un terrarium. Mais le toit de verre était fendillé depuis longtemps, et tout était mort à l'intérieur, avec de la poussière lunaire partout. Tout était gris.

Il y avait une fuite d'air et de chaleur dans le jardin, beaucoup d'air gaspillé qui filait dans l'espace par un trou, de sorte que toutes les lianes mortes se dressaient à la verticale, en ondulant, aspirées vers la fente du plafond, à travers lequel brillaient les étoiles.

– Waouh ! dis-je.

– Magnifique, hein ?

– On dirait... On dirait un calmar en train de faire l'amour avec le ciel.

Elle me regarda avec une drôle d'expression, pas désagréable. Cela faisait longtemps que je ne m'étais pas senti aussi bien.

Elle m'ébouriffa les cheveux, et dit :

– Tu es le seul parmi tes copains à utiliser des métaphores.

Elle me dévorait des yeux, et moi aussi ; je m'approchai d'elle. Nous nous embrassâmes. Les lianes remuaient doucement dans le jardin gris et mort. Elles se tordaient à contre-jour sur le bord de la Voie lactée. Pour la première fois, j'effleurai la colonne vertébrale de Violet, vertèbre après vertèbre, du bout des doigts, tandis que l'air fuyait et que les plantes s'entrechoquaient sous les étoiles silencieuses.

Langue morte

Nous regardions Marty inventer un jeu qu'il appelait le Baroud du guerrier mourant. Cela consistait à se faire attacher les quatre membres, bras et jambes, au cadre de son lit, avec des tuyaux en caoutchouc. Ensuite, il essayait de se lever et de marcher. Ce n'était pas très concluant.

Violet et moi étions assis sur la même couchette, à balancer nos pieds en cadence. Nous parlions de nos familles. Je lui racontai que j'avais un petit frère. Elle me fit remarquer que je n'en avais jamais parlé. Je lui expliquai qu'il était beaucoup plus jeune que moi, et que c'était une vraie plaie.

Violet me posa des questions sur mes parents. Je lui appris que mon père travaillait dans une sorte d'organisme bancaire, et ma mère dans le design. Je ne savais pas trop en quoi consistait le job de mon père. Une chose était certaine, c'est qu'il était en congé sur la Lune jusqu'au lendemain, jour où nous devions être fixés à propos de nos interfaces.

Quand je lui demandai ce que faisait son père, Violet répondit :

– Il est prof à l'université. Il enseigne les langues mortes.

– Il y a des étudiants pour ça ?

Elle haussa les épaules.

– Faut croire.

– Ah... C'est quoi au juste, les langues mortes ?

– Des langues qui étaient importantes autrefois mais que personne ne parle plus. Seuls les historiens les pratiquent encore.

– Il y a quoi, comme langues ?

– Tu sais, le fortran, le basic...

– Et ça ressemble à quoi ?

Elle se laissa glisser de la couchette et ramassa son sac. Elle fouilla à l'intérieur et en sortit quelque chose qui se révéla être un stylo. Elle avait aussi un calepin.

Je la regardai d'un drôle d'air.

– Tu écris ? dis-je. Avec un stylo ?

– Bien sûr, admit-elle, un peu embarrassée.

Elle écrivit quelque chose et posa le calepin sur mes genoux.

Elle me demanda :

– Tu sais lire ?

J'acquiesçai.

– Oui. Pas très bien. J'ai un peu séché les cours à l'École™. Ces histoires de e muet me prenaient la tête.

– Regarde, voilà un passage en basic, dit-elle.

Sur la première feuille était écrit :

```
002110 Goto 013500
013500 Peek 16388, 236
013500 Poke 16389, 236
```

Elle me le lut à voix haute. Les chiffres, en revanche, je les déchiffrai sans problème.

– Mais qu'est-ce que ça veut dire ? demandai-je.

– C'est ce que mon père enseigne à ses étudiants le premier jour, répondit-elle. Ça signifie : « Je suis venu, j'ai vu, j'ai vaincu. »

J'examinai son stylo.

– Tu écris drôlement bien, dis-je, impressionné.

– Je fais ça depuis que je suis toute petite.

– Et tu écris, heu… des trucs ?

– Oh, pas d'histoires ni rien de ce genre. Seulement des scènes auxquelles j'assiste, parfois.

– Et tu les mets sur le papier.

– C'est ça.

Je la regardai.

– Tu es une sacrée *enchilada*.

Elle hocha la tête en silence.

– Tu n'attrapes jamais de crampes ? demandai-je. Tu n'as pas la main toute tordue, à force ?

Je mis la main en crochet. Elle fit de même. Nous nous griffâmes les paumes, doucement.

Elle secoua la tête et sourit.

Je lui demandai :

– Pourquoi tu ne te sers pas de l'interface ? C'est beaucoup plus rapide.

– Je suis prétentieuse, avoua-t-elle. Extrêmement prétentieuse.

– Bon, on le sait, ça. Mais sérieusement ?

– Je suis très sérieuse.

Soudain, un détail me frappa. Je levai les yeux vers elle.

Marty était tombé à genoux, et les tuyaux le tiraient en arrière vers son lit. Il avait les joues gonflées, les poings serrés et ses doigts bleuissaient. Toutes les veines de ses bras saillaient. Calista et Link sifflaient avec leurs doigts glissés dans la bouche. Dans les chambres voisines, les autres patients gueulaient :

– Un peu de silence ! Vous allez la fermer, oui ou non ?

J'interrogeai Violet :

– Ton père est prof à l'université, mais il est trop occupé pour rendre visite à sa fille, victime d'un piratage ? Trop *occupé* ?

Elle me regarda droit dans les yeux.

– Non, dit-elle. Ça, c'est ce que je vous ai raconté.

Libération

Ces moments de grâce ne pouvaient pas se prolonger éternellement.

Nous avions très envie de retourner sur Terre. Tout le monde voulait oublier au plus vite ces vacances désastreuses sur la Lune.

Mardi, juste avant le déjeuner, un médecin, une femme flic et un technicien vinrent nous rendre visite. Nos parents discutaient dans un coin. Nous, nous étions assis sur nos lits, à discuter de catastrophes spatiales.

Le technicien réclama notre attention et se lança dans un grand discours, comme quoi ils étaient navrés de nous avoir fait attendre aussi longtemps, mais ils avaient dû s'assurer qu'ils avaient effacé toute trace du piratage, que nos interfaces n'avaient pas été endommagées, etc. Il continua : «Blablabla, cette période avait dû être difficile pour nous, blablabla, le service normal allait reprendre sans autre interruption, blablabla, il était sincèrement désolé que nous ayons dû subir tout cela, il avait étroitement collaboré

avec la police et lui avait remis nos données mémo-
rielles, blablabla, merci encore pour votre patience à
tous. »

L'un après l'autre, nous passâmes dans la salle
d'examen.

Là, il y avait des infirmières, le médecin et le technicien. Les infirmières surveillaient les électrodes,
notre tension, et le reste. Elles disaient :

– Ne vous inquiétez pas. Vous allez sentir la
connexion revenir dans quelques secondes.

Le médecin m'appliqua une sorte de chausse-pied
sur la nuque.

Il dit :

– Bon. Voyons si on peut avoir une indication de
votre activité cérébrale...

Le contact de l'instrument était froid. Je sentis les
poils se dresser sur ma peau. Il y eut comme des picotements d'électricité statique.

Le médecin déplaça un peu son instrument. Je
l'entendis faire *bip*.

– Vous devriez le sentir, maintenant, dit l'une des
infirmières.

Je ne sentais rien. Je jetai un regard circulaire. Ils
avaient tous les yeux braqués sur moi.

– Non, dis-je. (Je m'agitai sur mon lit.) Rien du
tout. Je ne sens absolument rien.

– Gardez la tête bien droite, dit le médecin.

Il déplaça encore son instrument, qui fit *bip* de
nouveau.

Je donnai un coup de talon dans le lit.

– Il n'y a rien. Rien, je vous dis !

– Et si vous essayiez de…, commença l'infirmière.

Le pouls s'accélère. Ça revient.

Activité cérébrale OK ?

Il est nerveux, c'est tout.

C'est normal. Il va retrouver ses sensations dans une seconde.

Signal engagé.

Ne retirez pas les électrodes tout de suite.

La Ford Laputa. Selon Sky and Suburb Monthly, *il n'y aurait pas de plus bel aérocar. Et nous sommes bien de leur avis.*

– Et voilà, déclara l'infirmière.

Vous serez plus que séduit par sa puissante sustentation fermion T44 offrant une poussée verticale de cinquante pieds par seconde, et si vous recherchez le confort, la qualité et le style, la garniture intérieure souple et le tableau de bord ergonomique vous…

Tout le monde me tapa dans le dos. Je ris, et le médecin et moi échangeâmes de grands sourires. Je retournai dans l'autre pièce, où les autres commençaient également à se sentir mieux ; la connexion se rétablissait.

… m'appelle Terry Ponk, et j'aimerais vous parler des muscles de l'abdomen et du thorax…

L'interface déversait de nouveau ses bienfaits en nous, comme avant. Nous retrouvions nos favoris, nos fichiers, nos lignes de communication par interface. Cela s'écoulait en nous comme de l'eau, se déversait sur nous comme une averse de printemps, sous laquelle nous dansions de joie.

... Faites la fête. Sortez avec vos amis. Quand on vient de traverser une épreuve difficile, c'est le moment ou jamais de goûter la chaleur de l'amour et de l'amitié autour d'une bonne table et de ces délicieux hors-d'œuvre qu'on ne trouve que chez...

Nous dansions à l'intérieur comme sous la pluie, pris de fou rire, en nous palpant le corps de haut en bas, heureux de le sentir à nouveau.

Violet, secouée par un rire hystérique, se frottait les joues et se passait les mains sur les seins, le menton en avant.

... frangin ? Tu es là, frangin ? Maman dit que je devrais...

... jusqu'au jour où cette vieille femme acariâtre et ce petit garçon atteint d'un mal incurable rencontrent un chien errant au cœur d'or et où tous prennent une grande leçon sur l'amour. De l'avis du NYT...

... a frappé une balle rasante jusqu'au monticule...

... International, maintenant, de nouvelles manifestations ont eu lieu aujourd'hui pour protester contre l'annexion américaine de la Lune. En réaction, plusieurs nations sud-américaines, notamment le Brésil et l'Argentine, ont demandé à rejoindre l'Alliance globale. Le président Trumbull s'est exprimé depuis la Maison-Blanche : « Ce qui se passe aujourd'hui, le problème avec notre société actuelle, c'est... »

Elle prit ma main – nos mains se trouvèrent sous cette, heu, averse, et...

... *Si vous avez aimé* Je vais te baiser, *vous adorerez les autres titres de ce tout nouveau groupe de* storm & chunder* *qui déménage : Beefquake, avec ses riffs à tout casser...*

... *Nos collections de printemps sélectionnées spéciale-ment pour vous...*

Et nous dansâmes, main dans la main...

... *Hardgore, le meilleur jeu de combat en réseau que votre interface ait jamais connu. Soixante niveaux d'ex-plosions et de boyaux qui n'attendent qu'un mot de votre part pour voler dans tous les coins, capitaine Bâtard. Et si vous n'êtes pas plongé dedans jusqu'à la taille en moins de quinze secondes, nous voulons bien avaler nos cas-quettes...*

... *Pendant votre absence, peut-être avez-vous man-qué...*

Main dans la main, nous dansions.

* Le rock qui « gueule & dégueule ».

Troisième partie
Utopie

Normal

La vie reprit rapidement son cours normal. On nous mit au repos dès notre retour sur Terre. Nos mamans nous apportaient des bières au gingembre au lit. Nous étions sans arrêt en réseau, à discuter, à écouter de la musique, tout ça. Nous eûmes un grand débat, une fois, après un épisode de *Hein ? Non ! Pas possible...* où Organelle demandait à Jackie si elle avait des hanches trop larges et où il répondait : « Puisque tu en parles, c'est vrai qu'un peu d'exercice ne nous ferait pas de mal à tous les deux », ce à quoi elle rétorquait : « Sombre crétin, tu ne pouvais pas mentir ? » Notre position, à nous, les garçons, consistait à dire : C'est sa faute, elle n'avait qu'à pas lui poser la question, mais les filles rétorquaient : Il faut être complètement débile pour insulter sa copine comme ça, et nous : Mais c'est elle qui lui a demandé, et elles : Décidément, vous ne comprenez rien à rien. Puisqu'elles ne tenaient pas réellement à savoir ce que nous pensions de leur physique, s'étonna Link, comment se faisait-il qu'elles posent si souvent la question ? J'ajoutai mon grain de sel, Calista le sien, et ainsi de suite, blablabla, blablabla, blablabla, toute la journée. Plutôt sympa. J'aime ce genre de débats où l'on peut confronter différents points de vue.

Mes parents allaient et venaient. Je les voyais sur le palier, ou parfois quand je descendais à la cuisine, derrière le plan de travail. Mon père me parlait à peine, sauf pour me dire de me lever et vérifier si j'avais de la fièvre, ce qui n'était pas le cas puisque le problème venait du logiciel. Ma mère ne décollait pas de mon frère, Boule Puante, qu'elle emportait partout comme une poupée. Elle se donnait beaucoup de mal pour lui, l'accompagnait à ses activités d'éveil et parfois même l'emmenait au travail avec elle. Quand elle n'était pas là l'après-midi, il restait assis dans son placard à regarder *Top Quark*, en le diffusant dans toute la maison. Si bien que je regardais, moi aussi, parce qu'il n'y avait pas grand-chose d'autre à faire hormis regarder *Top Quark* et grignoter des chips.

« Capitaine Top Quark, cette planète a l'air triste. Je crois qu'elle aurait besoin d'une bonne dose de câlins et de pensées positives !

C'est bien pour cela que nous sommes ici. Jolie Quark, préparez le Canon Amical. Bosco, tournez la plus grande et la plus orange de nos voiles vers Cryos, sur la planète Tristalia.

Tout de suite, capitaine ! Voilà un ordre auquel j'obéis avec joie ! »

Boule Puante avait un de ces oiseaux à présent, un de ceux qui ne savaient ni voler ni chanter, en métal, ce qui voulait dire qu'ils n'étaient plus en vogue. C'est toujours la même chose : les modes se lancent chez les gens cool – à l'université –, puis se transmettent de maillon en maillon jusqu'au bas de la chaîne, les gosses de six ans. Les oiseaux devaient être passés de mode depuis un moment, parce qu'ils avaient complètement disparu de la publicité. Même Boule Puante laissait traîner le sien sans y faire attention.

Quelques jours plus tard, je sortis faire des courses. Franchement, il n'y avait plus trace du problème. J'étais heureux de sortir et de voir les aérocars dans les tubes et sur les parkings, la vie, quoi, les gens qui marchaient dans la rue, qui discutaient par interface, les gamins qui traînaient, tout ça. Les banlieues s'empilaient les unes sur les autres, Apple Crest, Fox Hollow et ainsi de suite. Je les traversai en remontant les tubes dans l'aérocar de mes parents, tout en observant les maisons avec leur pelouse, chacune dans sa propre capsule, et chaque chose impeccablement rangée à sa place. Puis je suis rentré à la maison. Je me suis assis sur mon lit et me suis connecté au réseau. Tout paraissait normal.

C'est surtout dans ces moments-là que j'apprécie d'avoir des amis. On a bien raison de dire que nos amis valent leur pesant d'or.

A la fin de la semaine, Quendy organisa une fête chez elle, profitant que ses parents étaient sortis suffoquer quelque part. C'était l'époque où tout le monde fréquentait ces « soirées suffocation ». A croire qu'ils avaient tous le démon de midi.

J'allais revoir Violet pour la première fois depuis nos vacances sur la Lune. C'était chouette, parce qu'elle était à pied tandis que moi, j'avais l'aérocar de mes parents, si bien que je pus lui proposer de passer la prendre. Je la retrouvai devant un centre commercial, près de chez elle. Le centre s'étalait en surface, et on apercevait le ciel à travers le dôme. Elle m'attendait en contemplant les reflets du soleil sur la façade d'un grand magasin.

Violet habitait dans une banlieue située à plusieurs centaines de kilomètres de la mienne. On aurait donc un peu de temps pour discuter pendant le trajet.

Ce fut un moment extra. Nous écoutions de la musique sur interface, la même, donc je savais qu'elle entendait les mêmes notes que moi, et nos têtes bougeaient ensemble. Sa main était près du manche si bien que, lorsque je pénétrai dans le tube d'expulsion, nos doigts se refermèrent sur la poignée et nous tirâmes ensemble, avant d'être propulsés en plein ciel.

Nous filions à bonne allure, en louvoyant entre les tours et tout le reste, et elle me demanda :

– A quoi ça ressemble, une fête ?

– A n'importe quelle fête.

– Je n'ai pas vraiment l'habitude.

– Eh bien... (Je haussai les épaules.) On est là, et...
Je ne sais pas. On s'amuse, c'est la fête. Tu fais quoi,
toi, à la place des fêtes ?

– Mes amis et moi sommes scolarisés à domicile.
On est assez différents. La mère de Bettina organise
des soirées poncho.

– Tu ne vas pas à l'École™ ?

– Les parents d'Alf nous apprennent à charger leur
canon antiaérien.

– Waouh ! Tu pourrais me montrer ?

– Tu ne vas pas me croire ; tout est dans le poignet.

– Génial.

– Comme tu dis. Mon Dieu, je suis si excitée à
l'idée de cette fête !

– Vraiment ?

– Ce sera comme à l'interface ?

Je lui tapotai la main.

– Plus ou moins. Je veux dire, en moins chouette,
mais pour le reste, oui.

– J'ai l'impression d'être très spéciale. Je dois être
la fille la plus spéciale qui soit au monde !

Elle leva le poing et le cogna doucement contre le
mien.

Elle se laissa aller en arrière dans son siège. Elle
tira un peu sur sa ceinture de sécurité, avant de la
relâcher d'un air absent. Nous restâmes tous deux
silencieux. Quelques dirigeables météo volaient au
loin. Ils se paraient de reflets jaunes dans le soleil

couchant qui ondoyait sur les Nuages™. Nous les dépassâmes. Tout juste si on distinguait l'argent de leur revêtement à travers la couleur de la mélasse. On aurait dit un troupeau.

Elle demanda :

– Tu ne crois pas que tout sera différent, désormais ?

– Différent de quoi ?

– D'avant.

Je me tournai vers elle. Elle semblait si sérieuse, subitement. Je haussai les épaules.

– C'est bien d'entendre de nouveau les gens, de les avoir qui nous parlent dans la tête.

– Nous avons traversé quelque chose de très fort, dit-elle. Cela va forcément nous changer.

Elle allongea le bras sur le dossier de mon siège. Je reposai la tête en arrière. Je sentais mes cheveux frotter contre son bras.

Même mes cheveux étaient sensibles à la douceur de sa peau.

Truffe sous-évaluée

La fête était plutôt réussie, quoique un peu mollassonne.

A notre arrivée, nous dûmes attendre une seconde à l'entrée, parce que Link et Marty s'étaient lancés dans une partie de *Mêlée meurtrière dans la maison des ténèbres*, un de ces jeux pleins de zombies et de mutants. Ils virevoltaient et tiraient dans tous les sens avec le doigt. Ils ne voyaient rien, hormis leur jeu sur interface, si bien que, quand Violet s'approcha, Marty faillit lui décocher un coup de poing dans l'estomac. Lui et Link poussaient des jurons et sautillaient sur les dalles de marbre.

– Hé ! s'exclama Link. Fichez le camp d'ici !

Et Marty :

– Dégagez, bon sang ! On... Oh, merde ! On... Oh, attention !

Il cria des avertissements à Link, qui venait apparemment de louper une espèce de sangsue suceuse de moelle.

On se faufila dans le living-room vers la table où Quendy avait disposé les boissons et la bière. Des gens étaient assis un peu partout, en train de boire. Certains écoutaient de la musique sur interface en échangeant leurs commentaires ; d'autres avaient téléchargé une comédie intitulée *Panique blanche*. Cela racontait l'histoire d'un jeune homme auquel il n'arrive jamais rien, jusqu'à ce jour de folie où il s'attire malencontreusement les foudres de la pègre dans une station de ski, et découvre ce que cachent réellement les bosses de la piste noire. Là, l'enfer se déchaîne ! (NC-17)

Violet semblait un peu intimidée. Elle prit une grande inspiration et alla saluer Calista. Je restai un moment à discuter avec Quendy. Au début, elle se montra gentille et parfaitement normale. Elle me dit qu'elle était heureuse de voir que chacun s'en sortait bien, qu'elle-même se portait à merveille, et que tout allait pour le mieux. Puis soudain, elle jeta un regard noir à Calista et me lança par interface :

Tu crois qu'elle et Link sortent ensemble ?

Je haussai les épaules et répondis :

Ouais. Je suppose.

Quel fumier ! Avec moi, il voulait toujours... Bah. Laisse tomber.

Quendy fusilla Calista du regard et, d'un coup de pouce, s'envoya adroitement une crevette dans la bouche.

Elle poursuivit : *J'en ai marre d'être toujours la bonne copine qui se laisse marcher sur les pieds.*

Je comprends, répondis-je. *Comment tu fais ce truc de la crevette, avec ton pouce ?*

Je vais te montrer. Dis donc, tu comptes sortir avec Violet ?

Pourquoi pas ?

Tant mieux. Je la trouve super.

Moi aussi.

Calista dit qu'elle est un peu coincée, mais je ne suis pas d'accord. Je trouve que c'est Calista qui est coincée.

Calista a dit ça ?

Oui. Bon, tu veux essayer le truc de la crevette ?

Elle me montra comment procéder. J'en profitai pour jeter un coup d'œil à l'autre bout de la pièce et je vis Violet en train de discuter avec Calista. Toutes les deux fronçaient les sourcils. Inquiet de ce qui avait pu se dire, je lui lançai par interface :

Hé, ma belle. Ça va comme tu veux ?

Tout va bien, très cher. J'ai juste une petite discussion avec Calista. J'ai commis l'erreur de lui demander si elle avait un fiancé. *Maintenant, elle s'écrie :* Fiancé ? fiancé ? *et fait comme si j'étais française. J'aurais mieux fait de me taire.*

Je regardai autour de moi. Tout le monde hochait la tête au rythme de la musique ou suivait le film sur interface, les yeux dans le vague. Ce n'était qu'une fête. Rien qu'une fête.

J'entendis un gamin au fond de la salle déclarer :

– A mon avis, la truffe est grandement sous-évaluée.

Et, dans la direction opposée, une fille dit :

– D'accord, mais il est capable de s'enfiler un tonneau de bière sans même dégueuler.

On aurait dit que rien ne s'était produit. Nous continuions à regarder des films sur l'interface comme si personne n'avait jamais violé notre cerveau. Loga riait à gorge déployée, à croire qu'elle n'avait jamais été différente du reste d'entre nous, la seule à conserver son interface alors que nous-mêmes en étions privés. Un type se versait une bière. Link et Marty continuaient leurs acrobaties dans l'entrée, aux prises avec des démons invisibles.

Tout était parfaitement normal.

Et la truffe grandement sous-évaluée.

... ce que le président a démenti dans son discours
mardi matin. « Ce n'est pas la volonté du peuple
américain, du peuple de cette grande nation,
d'accorder foi aux allégations de ces associations
de vigilance anticorporatiste, qui ne représentent pas
la majorité du peuple américain, je le répète,
et ne s'expriment pas en son nom. Il est de notre devoir
en tant qu'Américains, et en tant que nation dévouée
à la liberté et à la libre entreprise, de soutenir
nos concitoyens et de ne pas leur jeter...
des choses dessus. Des pierres, par exemple.
La première pierre. Je veux dire par là que nous devons
refuser de croire les rumeurs selon lesquelles
les lésions seraient le fruit d'une quelconque activité
de l'industrie américaine. Il est évident qu'elles ne sont
pas la conséquence d'une quelconque action
de l'industrie américaine. Le peuple des États-Unis
sait, comme moi, que ce ne sont que des inepties.
Il faut nous souvenir... il faut nous souvenir
que l'Amérique est le pays de la liberté,
et que cette liberté, mes amis, cette liberté
n'entraîne pas de lésions. » On s'attend donc
à ce que le président oppose son veto à la résolution
du Congrès...

Bogue général

La fête se poursuivit. Je n'arrivais plus à me concentrer. Nous regardions *Panique blanche*. Le héros tomba de la nacelle d'un remonte-pente appartenant à la pègre et se réceptionna dans la poudreuse, à côté d'une tueuse sexy au cœur d'or. Cela me faisait bizarre d'être assis à côté de Violet, sans compter qu'elle ne riait pas, ce qui me mettait encore plus mal à l'aise. Elle se contentait de rester assise là. L'histoire suivait son cours, les différents protagonistes skiaient sur la montagne, se tiraient dessus et finalement prenaient tous une grande leçon sur l'amour. Et puis ce fut la fin.

Je montai à l'étage pisser un coup. Marty et Link m'entraînèrent dans une chambre.

– Mec, dit Link. Mec, tu es sur le point de passer de l'autre côté du miroir.

– C'est l'heure du Grille-Cervelle, déclara Marty.

– Oh, non ! fis-je. Ne me dites pas que vous êtes en train de boguer ?

– Hé, hé, hé, c'est un site super ! Réglé comme du papier à musique.

– Le Grille-Cervelle ?

– Juste un petit brouillage, rien de méchant, assura Link.

– Je le vois comme je te vois, ajouta Marty. (Il pointa le doigt.) Droit devant.

Il y avait d'autres garçons dans la chambre, et une fille. Ils murmuraient entre eux. L'un d'eux était allongé sur le lit, complètement dans les vapes.

– Fais une passe. Ensuite, tu n'auras qu'à réduire le niveau d'intensité.

– C'est bon, annonça Marty, j'y retourne.

– Amène-toi, mec, fit Link en me cognant le bras gentiment. Viens planer avec les copains.

– Pas ce soir, répondis-je.

– Tu déconnes ? Allez...

– Je crois que Violet n'apprécierait pas.

– Oh, allez, mec, que veux-tu qu'elle en sache ?

– A quoi vous jouez, de toute façon ? ripostai-je. C'est l'École Buissonnière™ ?

– Elle n'en saura rien ! insista Link.

– Mais qu'est-ce que vous avez dans le crâne, les mecs ? (Je m'assenai une petite tape à l'arrière du crâne.) Vous avez déjà oublié ce qui vient de nous arriver ? Hein ?

– Hein ?

– Laissez tomber.

– Quoi ?

– J'ai dit, laissez tomber.

– Ok, dit Link. Comme tu veux. Moi, j'y vais. Tu viens, Marty ?

– J'arrive.

Ils ouvrirent les bras, fermèrent les yeux et s'abandonnèrent au bogue. Il y eut d'abord le tremblement, puis la secousse de la tête et ils vacillèrent en arrière avec les autres, avachis sur le lit, sur le fauteuil, par terre, aveugles, parcourus de frissons. La langue de Link glissa entre ses dents. Elle était rose de tous les bonbons qu'il avait avalés.

Je sortis et me rendis à la salle de bains. Quand j'eus fini, je redescendis. Quendy et Violet étaient en grande conversation.

– Où sont passés les autres ? me demanda Quendy. Je n'allais pas lui répondre qu'ils étaient en train de se brouiller les neurones dans la chambre de ses parents.

Violet me proposa de sortir faire un tour dans la cour.

– Pourquoi pas ? répondis-je.

Nous sortîmes.

Il faisait bien plus frais sous le porche. Le dôme de la capsule était bleu sombre, comme si c'était la nuit – ce qui était le cas, en surface je veux dire, mais il était bleu à la maison aussi.

Nous restâmes un moment accoudés à la balustrade. La nuit était sublime. Nous éteignîmes la musique dans notre tête. A l'intérieur, nous pouvions voir les autres continuer à danser sans bruit. Cela faisait une drôle d'impression.

Elle dit :

– Tu es bien silencieux.

J'acquiesçai.

– Qu'est-ce qu'il y a ? demanda-t-elle.

– Rien du tout.

Nous restâmes comme cela un moment.

Je dis :

– Tu n'as pas aimé le film.

– Il était chouette.

– Tu n'as pas ri.

– J'ai bien aimé les montagnes. Tous ces sapins. J'aimerais bien aller dans les montagnes. Ce serait sympa, non ? Avec un feu ?

Je me représentai les montagnes, le feu, la bataille de boules de neige et enlève-moi-vite-tous-ces-habits-trempés, et je dis :

– Oui. Sans doute.

– Je voudrais me balader dans la campagne, dit-elle. (Elle se pencha vers moi.) Sérieusement, qu'est-ce que tu as ?

Je ne pouvais pas lui parler des copains en pleine défonce. Je ne voulais pas qu'elle les voie comme ça, en train de frissonner sur la moquette. Je ne voulais pas qu'elle les regarde avec pitié.

Finalement, je dis :

– Disons que tout le monde est redevenu tellement normal…

– Comment ça ? Que s'est-il passé ?

Je ne lui parlai pas de la chambre du haut. Je lui racontai simplement que, lorsque j'étais assis dans le living-room, j'avais entendu un type affirmer que la truffe était sous-évaluée, et une fille parler du type capable de boire comme un trou sans vomir. Je lui parlai d'eux puis recherchai la séquence, que j'avais encore en mémoire, et la lui repassai. Elle comprit exactement de quoi je voulais parler.

Fragile, fit-elle.

J'ai l'impression que nous sommes les seuls à nous rappeler le, enfin, le truc.

Les gens préfèrent oublier.

On ne peut pas leur en vouloir.

Elle me regarda. Ne dit rien pendant une seconde, puis se lança :

– Mon interface est endommagée.

– Quoi ? Dans ton… Dans ton cerveau ?

Elle se toucha la tempe.

– Ça va aller. Mais je suis la seule à avoir des séquelles. Ils essaient de réparer.

– Qu'est-ce qui ne va pas ? Tu peux toujours, heu… émettre et recevoir des trucs ?

Elle s'esclaffa.

– Oui, ne t'inquiète pas. Je vais bien. Mais ils disent qu'ils vont devoir trouver un moyen de procéder à des réglages. Il est arrivé quelque chose quand le type nous a piratés. Pour vous autres, ça s'est traduit par un simple brouillage temporaire. Mais moi, j'ai été affectée plus profondément. Tout n'est pas complètement réglé.

– Bon sang.

– Tu te souviens du jour où les médecins sont venus me chercher pour discuter avec moi en tête à tête, sur la Lune ? Quand je suis revenue, je t'ai emmené voir le jardin avec la fuite d'air. C'est là qu'ils m'en ont parlé. Ils m'ont dit que le problème avait de grandes chances de se stabiliser. Pour le moment, ce n'est pas fait.

– Bon sang.

– Ils disent qu'il ne devrait pas y avoir de conséquences.

– Bon sang.

Elle me tapota la poitrine.

– Du calme, dit-elle. La rose a largement le temps d'éclore.

– Hum... Si tu le dis.

Elle me scrutait. Je lui rendis son regard. Je pensais à Marty et Link en train de boguer pour s'amuser.

A quoi penses-tu ? fit-elle.

A rien.

Menteur.

Je pensais à Marty et Link en train de rouler des yeux. Et je répondis par un mensonge, du genre : *Je me demandais s'il voulait parler de la truffe, le champignon, ou de la truffe, le chocolat.*

Elle rit et toucha mon visage. J'avais l'impression de la protéger de quelque chose, et c'était bon, comme si j'étais devenu un homme maintenant. Je la plaquai contre moi comme un homme et nous nous embrassâmes. Nous restâmes un long moment à nous dévisager. J'aimais bien l'effet de la brise artificielle dans ses cheveux. Nous restions là, enlacés, à contempler les buissons et le canot à moteur sur sa remorque. J'avais la sensation d'être amoureux.

Elle rapprocha sa tête de la mienne, m'agrippa par les cheveux et me tira la tête en avant.

Elle murmura :

– Continue à penser. Si tu écoutes bien, tu entendras nos cerveaux tinter à l'intérieur de nous, comme des petites poupées russes.

Effleurement

Cette nuit-là, le lendemain de la fête, il m'arriva quelque chose que je pris pour un rêve. Je me retrouvai sur un site génial où tous les jeux étaient gratuits et où l'on pouvait jouer à ce qu'on voulait. J'en profitai pour tout essayer, même des jeux aussi barbants que *Dames Turbo*, parce que quand c'est gratuit, hein ? Je me lançai dans une partie de ce truc, un jeu de fantasy, et j'étais en train d'enfiler des sortes de gants elfiques pour tendre mon arc quand je sentis quelqu'un m'effleurer l'interface. Simplement l'effleurer, comme avec la joue ou le bout du nez.

Dans mon rêve, je demandai qui était là.

Dans mon rêve, on me répondit que c'était la police. On me demanda si j'étais bien une des victimes du piratage au Tourbillon.

Dans mon rêve, je répondis que oui.

Dans mon rêve, on me dit : « Très bien, tu peux te rendormir. »

Dans mon rêve, je demandai qui ils étaient vraiment.

On me dit qu'on allait effectuer quelques tests de routine sur moi, que je devais essayer de penser à autre chose.

Je dis qu'ils n'étaient pas de la police, alors qui étaient-ils en réalité ?

On me répondit : « Voilà le lézard dont tu as toujours rêvé. Nous avons pris la liberté de lui donner un joli collier tout neuf. »

Je demandai si les jeux étaient vraiment à moi.

« Tout à toi, me dit-on. Ils sont tout à toi. Bonne nuit, petit garçon. Ils sont tout à toi. Prends-les. Tout à toi. »

Dans mon rêve, je me dis qu'il s'agissait du groupe du pirate, la Coalition de la Pitié.

Mais, à mon réveil, j'oubliai tout pendant plusieurs semaines. Je me souvenais simplement des jeux – sur lesquels je fus bien incapable de remettre la main –, des gants elfiques, de l'arc, et du lézard qui était tout à moi.

... Je me souviens, quand les dernières forêts ont disparu... En ce temps-là, on voyait encore des faucons et des aigles dans les grandes villes. Les gens sortaient beaucoup plus, à l'époque ; ils marchaient.
La température extérieure dépassait rarement les 37 °C. Il y avait des rues dans les villes, et les aigles planaient au-dessus, sans bouger les ailes.

Je me souviens d'avoir vu des faucons perchés sur les réverbères, à cette époque des derniers jours de la forêt américaine. Ils arrivaient des montagnes, pour certains, ou des forêts de pins qui s'élevaient deux ou trois fois plus haut que nos banlieues d'alors, mais ils trônaient au-dessus de nos villes comme des rois. Ils ne jetaient pas un regard aux milliers de voitures qui circulaient au pied de leurs réverbères. On aurait dit qu'ils étaient tranquillement assis sur la pointe de leurs sapins de Douglas.

Je regrette ce temps-là. Les villes d'alors, juste après la disparition des dernières forêts, regorgeaient de merveilles. On en trouvait à chaque coin de rue : ces seigneurs du ciel sur les rebords des toits ; les rivières qui jaillissaient au milieu des rues et les transformaient en canaux ; les lapins dans les parkings souterrains ; et cette biche qui avait mis bas dans une benne à ordures, comme une autre Nativité.

C'était peut-être, disons, deux jours après la soirée avec le « capable de boire comme un trou sans dégueuler », que Violet me contacta au saut du lit par interface. Elle m'annonça qu'elle travaillait sur un tout nouveau projet. Je lui demandai quel était l'ancien, et en guise de réponse, elle me demanda si j'avais envie de voir le nouveau. Je dis : *OK, tu veux que je passe à su casa ? Je ne suis encore jamais venu,* et elle : *Non, c'est trop tôt. Retrouvons-nous au centre commercial.*

Je répondis : *Bien sûr, pas de problème, si ça peut faire ton bonheur,* et elle : *Baby, c'est toi qui fais mon bonheur,* ce qui est plutôt gentil, surtout à l'attention de quelqu'un qui ne s'est pas encore brossé les dents.

Donc je m'envolai jusqu'au centre commercial à côté de chez elle, sous la pluie qui tombait particulièrement dru ce jour-là. Tout le monde avait ses phares allumés sous le plafond des nuages. Au-dessus, il faisait beau et les gens volaient de manière plus décontractée.

Le centre commercial était très animé, il y avait foule. Les gens achetaient toutes sortes de choses comme des maisons gonflables pour leurs enfants, des appareils de massage pour chiens, et ces prothèses dentaires qui faisaient fureur à l'époque, les

blanches, qui coiffaient vos vraies dents et les transformaient en une dent unique s'étalant sur toute la
largeur de votre bouche.

Violet se tenait à proximité de la fontaine et portait une chemise à col très bas, pour montrer sa
lésion, parce que les stars de *Hein ? Non ! Pas possible...* commençaient à afficher les leurs à leur tour,
de sorte que les gens ne voyaient plus les lésions d'un
aussi mauvais œil. La plupart d'entre eux les trouvaient même plutôt cool. Violet était très jolie dans
sa chemise, sans compter qu'elle souriait et paraissait
tout excitée par son idée.

D'abord, nous nous dîmes bonjour et nous passâmes un moment à plaisanter au sujet de tous ces
objets ridicules que les gens s'achetaient ; puis Violet
me fit remarquer que, sur le plan du ridicule, je
n'avais pas grand-chose à leur envier, car elle m'avait
vu loucher sur une brouette remplie par un petit pain
chaud géant de chez Bun in a Barrow.

Je dis :

– Hum, hum, hum...

– Tu es prêt ? fit-elle.

Je lui demandai ce qu'elle avait en tête.

– Regarde autour de toi, dit-elle.

Ce que je fis. C'était le centre commercial. Elle
dit :

– Écoute-moi.

J'écoutai.

– L'autre jour, j'étais dans la salle d'attente des services médicaux du réseau, dit-elle, et j'ai réfléchi. Bon. Très bien. Tout ce que nous faisons est pris en compte dans un vaste calcul. En ce moment même, par exemple, ils nous observent. Ils savent ce que tu es en train de regarder. Ils veulent savoir de quoi tu as envie.

– C'est un centre commercial.

– Ils cherchent également à te suggérer des envies. Ce que nous assimilons depuis notre enfance – les films sur interface, les jeux, tout ça – est destiné à formater notre personnalité pour faire de nous de meilleurs consommateurs. Je veux dire par là qu'ils mènent des études démographiques pour répartir tout le monde dans des catégories de personnalités bien définies. Tu reçois ensuite des publicités fondées sur ce que tu es censé apprécier. Ils essaient d'abord de cerner qui tu es, puis t'encouragent à te conformer à l'un de leurs schémas de marketing. C'est comme une spirale : ils fabriquent des produits de plus en plus basiques, censés plaire au plus grand nombre, et, peu à peu, chacun s'habitue à ce que tout soit basique, de sorte que nous devenons de moins en moins variés en tant qu'êtres humains, de plus en plus simples. Les corporations, de leur côté, simplifient un maximum de choses. Et ça continue ainsi, indéfiniment.

C'était le genre de discours qu'on entend sans arrêt, surtout dans la bouche des parents, qui râlent que les jouets d'aujourd'hui sont stupides, alors qu'ils étaient tellement chouettes autrefois, que tout ce qu'on trouve sur l'interface a son prix. D'accord, c'est peut-être vrai, mais c'est surtout barbant.

– Oui, bon. C'est l'interface, dis-je. Et alors ?

– Et alors, voilà mon projet.

– Oui… ?

Elle sourit et glissa un doigt dans le col de ma chemise.

– Écoute, dit-elle. Ce que je fais, ce que j'essaie de faire depuis deux jours par l'interface, c'est de créer un profil de consommateur tellement confus que personne ne saura quoi lui vendre. Je refuse de me laisser cataloguer. Je vais me rendre invisible !

Je la dévisageai fixement pendant une minute. Elle passa le doigt le long de mon col, effleurant ma gorge du bout de l'ongle. J'attendais une explication. Elle ne vint pas. A la place, elle me demanda de l'accompagner et empoigna un des nodules de ma chemise – c'était une de ces chemises à nodules – pour m'entraîner en direction du Bebrekker & Karl.

Nous entrâmes dans le magasin et, aussitôt, nos interfaces furent saturées de Bebrekker & Karl. Tous les gadgets high-tech en rayon s'affichaient devant nos yeux. Un vendeur s'approcha pour proposer de nous aider. Je lui répondis que je ne savais pas trop. Violet intervint :

– Oui, merci. Est-ce que vous avez des gros projecteurs ? Vraiment puissants, vous voyez ce que je veux dire ?

– Oui, dit-il. Nous avons... oui. Nous en avons.

Il alla prendre plusieurs gros projecteurs sur un rayonnage et nous présenta différents modèles. L'interface nous transmettait leurs caractéristiques au fur et à mesure.

Pendant qu'il disparaissait dans la réserve, à la recherche d'un autre modèle moins cher, je dis à Violet :

– Et ensuite ?

Elle me souffla :

– On leur complique la tâche. On résiste.

Bebrekker & Karl sortait l'artillerie lourde. Cela donnait : *Nous avons simplifié le ruban de Tesla pour un usage personnel – vous pouvez même le porter dans vos cheveux ! Avec ce nouveau, blablabla,* ou encore : *Relaxez-vous, bâillez un coup, et au dodo ! Pendant que nos perles de cybermassage vont et viennent le long de votre dos ! Détente garantie, etc.,* des trucs comme ça.

– Ça a l'air sympa, non ? dis-je.

Mais le gars revint avec un autre projecteur.

Il nous dit :

– On voit drôlement bien avec celui-là. J'en ai un sur mon aérocar. Des fois, c'est trop... comment dire... trop top. Un soir, j'étais en train de voler et j'ai éclairé vers le bas, histoire de jeter un coup d'œil sur le sommet des capsules de banlieue. Et partout, j'ai vu des scintillements, comme une espèce de boue noire, vous voyez ? Alors j'ai réglé mon projecteur à fond, je suis descendu un peu et je me suis rendu compte que cette boue noire et mouvante était en fait une marée de cafards. Ils s'étalaient sur des kilomètres, sur la totalité des dômes ! Ils essayaient de sortir de la lumière, si bien que chaque fois que je me déplaçais, il se produisait une...

– J'aimerais faire monter ce projecteur sur mon ventre, le coupa Violet. Vous croyez que c'est possible ?

Il la regarda d'un drôle d'air.

– Avec une tête pivotante ?

– Exactement. Comme ça, je pourrai le faire pivoter.

– Et... Dans quel but ?

– Pour une occasion spéciale, dit-elle à voix basse.

Elle me caressa le bras, sensuellement.

Et lui :

– Waouh ! Je vois ça d'ici.

Il me fit un signe appréciateur, pouce levé.

Elle m'adressa un clin d'œil. Ça commençait à devenir excitant.

Elle l'envoya chercher toutes les caractéristiques de la lampe mais, en fin de compte, ne l'acheta pas. Elle ne se la fit pas monter sur le ventre. A la place, elle le remercia chaleureusement puis m'entraîna hors du magasin. Je commençais à entrevoir le tableau, que je trouvais plutôt marrant.

Nous fîmes ainsi plusieurs boutiques, en demandant chaque fois des trucs invraisemblables que nous n'achetions pas. Il y eut un magasin de tapis, un autre rempli de vieux coffres, de pièces de huit et autres vieilleries, puis une boutique de jouets dans laquelle elle se fit expliquer en détail le monde des figurines d'action Bleakazoïd – nom complètement débile, si vous voulez mon avis. En gros, il s'agissait de combattants musculeux originaires d'un monde parallèle, comme bien souvent dans ces cas-là. Nous n'avions toujours rien acheté.

Nous remontâmes le grand hall au pas de charge. Elle se tapota la tête et dit :

– Tu entends ? La musique ? (C'était des chansons pop.) Ils ont des registres indiquant quels accords sont les plus populaires. La musique est devenue du marketing. Ils ont des listes des enchaînements qui font pousser des hurlements aux gamines de treize ans. Il n'existe plus aucune différence entre une chanson et un jingle publicitaire. Chaque chanson est son propre jingle. Active ! Par ici.

Nous entrâmes dans une boutique de vêtements. Elle sortit les robes les plus grotesques, sous le regard sceptique de la vendeuse qui avait l'air de penser : « Elle est bizarre, cette fille... Allez, le sourire, le sourire et encore le sourire ! » Elle nous adressait de grands sourires hypocrites, hochait la tête très sérieusement devant tous les choix de Violet et affirmait :

– Ce sera parfait.

A quoi Violet répondit :

– Je ne sais pas. Vous croyez ? Il a quand même une poitrine assez large.

La vendeuse se tourna vers moi. J'étais pétrifié. Je réussis à balbutier :

– C'est que… je m'entraîne beaucoup !

Violet me demanda :

– Tu fais combien ? En tour de poitrine ?

Je haussai les épaules et décidai de jouer le jeu.

– Je ne sais pas. Quatre-vingt-dix, quatre-vingt-quinze ? hasardai-je.

Violet poursuivit :

– Je crois qu'il lui faudrait quelque chose d'assez près du corps, dans le genre soyeux.

– Seulement si tu penses pouvoir m'empêcher de me frotter contre un mur du début à la fin.

– D'accord, admit Violet en levant les mains comme pour s'avouer vaincue. D'accord, j'ai commis une erreur avec la nuisette de la semaine dernière.

J'eus toutes les peines du monde à garder mon sérieux.

Nous fîmes d'autres boutiques de vêtements, essayant des sweat-shirts ridicules que nous faisions semblant d'aimer, ou du maquillage qu'elle ne porterait jamais, ou un séchoir à linge… Nous entrâmes ensuite dans une grande surface pharmaceutique DVS où elle prétendit comparer différents kits personnels d'endoscopie.

Nous étions en train d'examiner les kits quand elle me glissa à l'oreille :

– Depuis deux jours, je suis en train d'accumuler toutes sortes de trucs dans mon panier d'interface, comme si j'avais l'intention de les acheter – tu sais, un sifflet, un baril de saindoux, une canette de soda particulièrement infect, un sarong, une tondeuse industrielle, une documentation complète sur la calvitie masculine, des fournitures de bureau, des barrettes... Je me suis également renseignée sur la décoration d'intérieur en Antarctique, les coutumes maritales des îles Tonga, et j'ai consulté la page d'accueil des fichiers généalogiques de la République tchèque... Tout est là, dans un coin, à m'attendre.

Je pris une boîte.

– C'est le moins cher, celui-là. Tu avales les pilules et elles prennent des photos pendant la digestion.

Elle dit :

– Quand on regarde tous ces trucs, ces sites, avec un peu de recul on s'aperçoit que cette bouillie obscure n'a rien d'obscur, en fin de compte. Chacun de ces éléments représente un monde à lui tout seul.

– Et ton interface, au fait ? Ça va mieux ?

– Ça va. Tu m'écoutes ?

– Je me posais la question, c'est tout.

Elle me demanda :

– Qu'en dis-tu ?

– J'ai bien aimé le type de Bebrekker & Karl. Je me demande si c'est vrai, son histoire de cafards.

– La résistance ne te passionne pas, hein ? grinça-t-elle.

Les muscles de ses mâchoires saillaient.

– Si, tant que c'est moi qui porte la nuisette.

Elle rit.

Nous allâmes dîner dans une Extravagance Familiale J. P. Barnigan. On nous apporta des bâtonnets de mozzarella, puis je pris un grand steak et elle une salade César. Les boissons étaient à volonté. Ensuite, alors que nous étions assis là, dans le box, je lui proposai de la raccompagner chez elle. Elle me dit non. Je lui demandai si elle en était sûre, et elle me répondit que oui.

– Quel est le problème avec tes parents ? demandai-je.

– Comment ça ?

– Eh bien, pourquoi tiens-tu tellement à me retrouver ici et pas chez toi, par exemple ? Et pourquoi ton père n'est-il pas venu te voir sur la Lune ? Quand nous étions, tu sais...

Elle me lança un drôle de regard.

– Sais-tu combien ça coûte, d'aller sur la Lune ?

– Un paquet ? hasardai-je.

– Exactement. Un gros paquet. Il voulait venir, mais ça lui aurait coûté, quoi, un mois de son salaire. Il avait économisé pendant un an pour m'y envoyer. J'y suis allée, et voilà ce qui est arrivé.

– Il avait fait des économies pendant un an pour t'envoyer sur la Lune ?

– Eh oui, dit-elle. Écoute, il y a quelque chose que tu peux faire. C'est me conduire au bureau du technicien d'interface. J'ai rendez-vous.

Nous gagnâmes l'aérocar. Je la déposai quelques kilomètres plus loin, devant chez le technicien. Avant d'emprunter le tube d'expulsion, je jetai un dernier coup d'œil dans sa direction. Elle se tenait devant la porte, les bras croisés. Elle se pinçait la peau du coude et tirait dessus.

Elle attendit un moment, toujours en se pinçant et en se tirant la peau, puis finit par entrer.

Pleurnicherie

Cette nuit-là, une fois allongé dans mon lit, je l'appelai à l'interface.

Violet. Violet ?

Elle me répondit : *Hé, salut, toi !*

C'était super, le centre commercial. J'ai passé une excellente journée. Je me suis amusé comme un petit fou !

Après un moment, elle répondit : *Moi aussi.*

Quelque chose clochait. Je pouvais le sentir rien qu'à sa façon d'émettre.

Tu pleures ? demandai-je.

Il y eut un long silence sur l'interface. J'entendais des bruits de programmation.

Oui, dit-elle. *Pour ne pas perdre la main.*

Qu'y a-t-il ?

Laisse tomber, dit-elle. *Laisse tomber.*

Tu ne t'es pas amusée ?

Je voudrais que tu sois avec moi.

Je me la représentai allongée dans son lit. En pyjama, peut-être, et bien au chaud. *Moi aussi, je voudrais être avec toi*, lui dis-je.

Tiens, fit-elle en changeant radicalement de sujet. *Regarde tout ce que j'ai reçu. L'interface devient folle avec tout ce que nous avons regardé aujourd'hui. Elle essaie de me mâcher le travail.*

Dans son interface, une voix haut perchée disait : *Bonjour ! Je suis Nina, ton assistante commerciale Feed-Tech personnelle ! Tu en as assez d'avoir une haleine fétide ? Essaye le déodorant glottal FreshGorge, ton petit ami te dira merci ! Hé, Violet Durn, sacrée journée que tu t'es offerte là ! Toi, ma fille, tu sais ce que c'est le shopping ! Voilà quelques infos supplémentaires concernant tous les super produits auxquels tu t'es intéressée !*

Violet commença à m'envoyer ce qu'elle avait reçu. Il y avait des sites pour les projecteurs, les robes, les kits d'endoscopie. Je recevais tout cela en rafales. Une fois la transmission lancée, ces sites en appelaient d'autres et je les sentais émettre dans tous les sens, ça venait de partout. Ils fondaient sur nous. Comme un vol de papillons, à croire que nous étions englués quelque part, et ils continuaient à s'abattre avec des battements d'ailes de toute beauté, toujours plus nombreux. Ils se posaient sur nos doigts, nos lèvres, nos yeux, en s'ouvrant et en se refermant. Nous n'arrêtions pas de faire : *Waouh ! Waouh ! Waouh !*

C'était dingue.

C'était super d'être avec Violet.

Elle n'avait pas eu grand-chose de tout ce qu'on voit sur l'interface, quand elle était jeune. Souvent, c'était trop cher, ou son père refusait. Mais elle avait regardé de nombreuses émissions sur la manière dont vivaient les gens normaux, et elle tenait à mener la même vie que le reste d'entre nous. Elle et ses amis scolarisés à la maison s'étaient donc appliqués à nous copier. Par exemple, les armes en plastique lui étaient interdites parce que c'était contraire aux convictions de son père, alors elle ramassait n'importe quoi – un morceau de bois, un bout de ferraille tordue – et faisait comme si c'était aussi chouette qu'un vrai jouet.

Je craignais un peu qu'elle soit trop intelligente pour moi, mais ce n'était pas le cas. Enfin, bien entendu, elle était plus intelligente que moi, mais il y avait tellement de choses qu'elle n'avait jamais faites ! On aurait dit une gosse, tout excitée à l'idée de me retrouver au centre commercial pour nous balader dans les boutiques, ou emprunter les toboggans aériens, ou encore faire du shopping sous l'eau. Elle n'avait pratiquement jamais fait cela avant. C'était complètement nouveau pour elle.

Nous nous installions dans la galerie et inventions

des histoires sur les gens qui passaient. Ils nous contournaient sans nous voir, remuant les lèvres, en discussion avec des interlocuteurs lointains. Tous en train de marmonner.

Nous les imaginions en train d'enfanter des monstres dans leur grenier.

Nous parcourions les boutiques, et riions tant et plus.

Elle me prenait la main, ou je prenais la sienne, et nous franchissions un seuil pour entrer dans un vieil endroit qui devenait subitement un monde nouveau.

Nous y allions en nous tenant par la main.

Les fossettes de DelGlacey

Tout cela était bien beau mais, par moments, l'idée qu'elle soit trop intelligente pour moi m'ennuyait quand même.

Je ne suis pas très bon à l'École™. Et comme les cours avaient repris, j'étais souvent confronté à mes propres lacunes…

L'École™ a fait de gros progrès, aujourd'hui. Ce n'est plus comme à l'époque de mes grands-parents, quand les écoles étaient dirigées par le gouvernement – ce qui fait quand même un peu nazi, non ? En ce temps-là, on s'y ennuyait ferme et les gamins étaient complètement nuls parce qu'on ne leur enseignait jamais rien d'intéressant. C'était toujours : « Blabla-bla, tel événement eut lieu en 1492, blablabla, quand on mélange, disons, de la craie et de l'eau, on obtient de la nitroglycérine », ce genre d'âneries. Rien que des trucs inutiles.

Aujourd'hui, l'École™ est dirigée par les corporations, ce qui vaut beaucoup mieux. On y apprend comment tirer le meilleur parti du monde qui nous entoure et, plus particulièrement, à se servir de son interface. C'est agréable de savoir que les grandes corporations sont constituées d'êtres humains et pas uniquement de squales avides d'argent. En prenant soin des enfants, elles assurent l'avenir de l'Amérique. Elles investissent dans le futur. A l'époque où personne ne voulait plus débourser un sou pour l'enseignement public, où les établissements étaient gangrenés par les flingues et la drogue et les professeurs d'anglais aux mœurs douteuses, quelques grands groupes médiatiques se réunirent et investirent beaucoup d'argent pour racheter les écoles et leur offrir des ordinateurs, des pizzas gratuites au déjeuner et tout le reste. Désormais, on y apprend à faire fonctionner la technologie, à dénicher les bonnes affaires, à décrocher un boulot ou à décorer sa chambre.

Cela restait difficile, et il nous arrivait de buter sur une épreuve. Je me sentais stupide, nous nous sentions tous stupides ! *Quel ennui, mon Dieu ! Mais quel ennui !* faisaient Loga et Calista.

Vous croyez que le prof pourrait se montrer un peu plus condescendant ? Si je demandais gentiment ?

Ne m'en parle pas. Si je bâille encore une fois, je vais me décrocher la mâchoire.

Et je me tenais assis là, les paumes pressées contre mon front, à songer à Violet, chez elle, tellement intelligente. Dans ces moments-là, je repensais à nos conversations.

Par exemple, elle lisait sans arrêt des articles disant que la planète était en train de mourir, qu'il y avait de moins en moins d'air respirable, que la pollution s'étendait partout. Elle me racontait à quel point la situation se dégradait je ne sais où en Amérique du Sud, sauf qu'elle ne pouvait pas entrer dans les détails parce qu'on avait demandé aux journaux de se montrer un peu plus positifs. Elle disait que ça lui faisait peur de lire ce genre de trucs, de voir à quel point les gens nous haïssaient pour ce que nous faisions. Alors un jour, je lui ai dit d'arrêter de lire ces trucs, c'était trop déprimant. Elle m'a répondu : *Mais je tiens à savoir ce qui se passe*, et moi : *Dans ce cas, tu n'as qu'à te retrousser les manches. Nous sommes dans un pays libre. Fais quelque chose.* Et elle : *Impossible de changer quoi que ce soit dans un système à deux partis.* Elle continuait : *Blablabla, ça ne changera jamais, les deux partis sont entre les mains de la haute finance, blablabla*, et tout le reste. *Tu dois faire confiance aux gens, nous sommes en démocratie, nous pouvons faire bouger les choses*, lui répondis-je.

Nous ne sommes pas en démocratie, me dit-elle.

Je détestais l'entendre parler ainsi, parce qu'elle n'était plus elle-même. Je veux dire par là qu'elle n'était plus cette fille rieuse qui m'entraînait à commettre bêtise sur bêtise dans le centre commercial. Elle ressemblait plutôt à ces filles de l'École™ qui se réunissent en secret, s'habillent tout en noir, portent un appareillage dentaire et scandent : « Crétins de capitalistes – outils de propagande », le poing levé, etc. Quand elle affirmait des trucs comme « Nous ne sommes pas en démocratie », la discussion me devenait brusquement insupportable. Je soupirais : *Si tu veux,* et elle insistait : *Je t'assure.* Et moi : *Mais oui,* et elle : *Ce n'est pas une démocratie.* Alors moi : *Si, c'en est une,* et elle : *Non, pas du tout.* Je devenais sarcastique, et lui disais : *Bien sûr, tu as raison, c'est un État fasciste, c'est ça ? Nous sommes tous des fascistes ?*

A quoi elle répondait, le plus gentiment possible, *Non, écoute, je suis sérieuse. Ce n'est pas une démocratie.*

Qu'est-ce que c'est, alors ? demandais-je.

Une république. C'est une république.

Pourquoi ?

Parce que nous élisons des gens pour voter à notre place. C'est tout ce que je veux dire.

Alors, pourquoi est-ce ainsi ?

Parce que si nous étions en démocratie, il faudrait consulter tout le monde à propos de tout.

Je réfléchis. *Nous n'aurions qu'à tous voter. Par interface. Instantanément. Là, ce serait une démocratie.*

Sauf, dit-elle, *que soixante-treize pour cent seulement des Américains possèdent une interface.*

Oh, dis-je. *Ah*. Je me sentais complètement idiot. *Il y en a tellement qui n'en ont pas ?*

C'est là qu'elle me confia : *Moi, je n'en ai pas eu tout de suite.*

Que veux-tu dire ?

Elle resta silencieuse, comme si elle n'avait pas envie d'en discuter par interface. C'était ce genre de silence. Puis elle répondit : *Nous n'avions pas assez d'argent. Quand j'étais petite. Et mon père et ma mère ne voulaient pas que j'en aie une.*

Sans rire ?

On me l'a implantée à l'âge de sept ans.

Je suis désolé, dis-je.

De quoi ?

De ne pas avoir su. Que tellement de gens n'en avaient pas.

Ceux qui ont une interface n'y pensent jamais, dit-elle. *Quand tu l'as portée toute ta vie, tu es conditionné pour éviter de penser à certaines choses. Jamais on ne te dira que nous sommes en république et non en démocratie, par exemple. Ça me rend folle, tout ce que les gens peuvent ignorer, de nos jours. A cause de l'interface, nous sommes en train d'engendrer une nation de crétins. De crétins ignares et égoïstes.*

Soudain, elle prit conscience de ce qu'elle venait de dire. Elle m'avait traité de crétin ignare et égoïste. Elle s'interrompit et se mit à bafouiller : *Je ne voulais pas dire... Je, tu sais... ce n'est pas vraiment important, seulement, c'est juste que...*, et ainsi de suite. Je restais là, à l'observer. Tout en affichant une expression furibonde, sans desserrer les lèvres, sans prononcer une parole, je prenais un malin plaisir à la regarder trébucher sur les mots. Je me contentais de rester assis. Elle ne savait plus où se mettre. Elle me dit même : *Je suis navrée*, ce qui était moche, parce que ça signifiait que nous savions tous les deux que j'étais un crétin. Je détournai les yeux.

Je détournai les yeux et elle posa sa main sur mon bras, ce qui était pire que tout : c'était le lot de consolation.

Ce soir-là, de retour à la maison, je regardai par la fenêtre, la mine lugubre, et ma mère me demanda :

— Qu'est-ce que tu as ?

Je restai un long moment sans répondre. Finalement, je dis :

— Est-ce que tu me trouves stupide ? Je veux dire, est-ce que je suis un crétin ?

— Tu es un élève atypique.

Boule Puante intervint :

— Tu parles ! C'est un crétin, oui.

— C'est en rapport avec Violet ? demanda ma mère.

— Non.

— Allez. C'est en rapport avec elle ? Parce qu'elle ne devrait pas te donner l'impression que tu es stupide. C'est mal, de faire cela.

— Maman, ça n'a rien à voir avec elle, d'accord ?

– Elle devrait être fière de toi.

Je préférais ne rien dire. Je ne voulais pas que ma mère pense que Violet était snob. Violet n'était pas snob. C'est moi qui n'étais qu'un crétin.

Ma mère s'approcha.

– Tu es un garçon fantastique. Bon, d'accord, je suis ta mère, mais laisse-moi te dire que tu es un garçon fantastique. Pas vrai, Steve ?

Mon père s'endormait à moitié sur la table. Il suivait distraitement les infos sur interface. Il se redressa, et elle répéta :

– N'est-ce pas, que c'est un garçon fantastique ?

Et mon père répondit :

– Mais oui, mais oui.

Et ma mère renchérit :

– Tu es bon comme la romaine.

– Où habite-t-elle, au fait ? demanda mon père.

– Je n'en sais rien. A trois cents kilomètres d'ici, environ. Je n'y suis jamais allé. Pourquoi ?

– Oh, pour rien.

– Tu es un trésor, poursuivit ma mère. Une perle.

Tout cela ne m'aidait pas beaucoup. Le lendemain, je foirai lamentablement un examen et, quand je revins à la maison, Violet m'appela par interface pour me dire qu'elle n'avait pas le temps de parler. Elle était en train d'apprendre le swahili ancien, ou de fabriquer une maquette de Carthage en fil de fer, ou de chercher un remède à l'entropie, je ne sais plus. Si bien que je m'assis par terre et fixai un coin de la pièce, à l'endroit précis où le sol et les deux murs se rejoignaient. Quand mes parents me virent ainsi, ma mère s'approcha et me prit dans ses bras.

Je voyais bien qu'ils avaient un truc derrière la tête. Ils étaient venus m'annoncer quelque chose. Je tapotai maman dans le dos, juste ce qu'il fallait pour lui dire : *C'est bon, ça va, j'ai mon compte d'affection. Tu peux me lâcher, maintenant, maman.* Elle s'écarta. J'espérai qu'ils partiraient mais, visiblement, ce n'était pas dans leurs intentions. Il me fallut donc rester là et écouter ce qu'ils avaient à m'annoncer.

Elle dit :

– Tu es exactement comme nous le voulions. Aucune fille n'est trop bien pour toi. Tu es précisément ce que nous avons demandé.

Mon père, hyper mal à l'aise, dansait d'un pied sur l'autre.

Ma mère passa ses doigts dans mes cheveux et, alors que j'étais debout, fit mine de me bercer. Elle se mit à réciter, comme un poème :

– Tu as les yeux de ton père et le nez de ta mère.

– Et ma bouche, dit mon père.

– Et mes mains, dit ma mère.

– Et le menton, les fossettes et l'implantation de cheveux de DelGlacey Murdoch.

– Qui ça ? dis-je.

– L'acteur, expliqua ma mère. Nous trouvions tous les deux que c'était le plus bel homme que nous avions jamais vu.

– Nous pensions qu'il ferait une meilleure carrière, tout de même, admit mon père.

– Il tenait la vedette dans un film sur interface la nuit où... Où tu as été conçu, dit ma mère en m'adressant un clin d'œil.

– Quoi ? Quel nom avez-vous dit ? Vous ne m'avez jamais parlé d'un acteur.

– Il s'appelait... Comment s'appelait-il, déjà, Steve ?

– DelGlacey Murdoch.

– DelGlacey Murdoch, répéta ma mère en savourant chaque sonorité. C'est cela. Et nous trouvions que c'était l'homme le plus séduisant du monde. Alors, après le film, nous nous sommes rendus au conceptionarium et nous leur avons dit : « Nous voulons le plus beau garçon jamais conçu. Nous voulons qu'il ait mon nez, les yeux de son père et, pour le reste, nous avons ce portrait de DelGlacey Murdoch. »

– Je crois bien que c'est la première fois que j'entends ce nom de DelGlacey Murdoch, dis-je.

Mon père tripotait nerveusement le revers de son costume à fines rayures.

– Il n'a pas... Il n'a jamais vraiment décollé comme nous l'avions espéré. Après ce film, il a surtout joué, enfin... des rôles secondaires.

– Il a eu quelques premiers rôles, protesta ma mère. Steve, il a joué dans un tas de films.

– Qui passaient toujours dans l'après-midi, rétorqua mon père.

– Chéri, c'était le plus bel acteur de tous les temps. Donc, nous sommes allés au conceptionarium et nous avons expliqué aux généticiens ce que nous voulions, et ton père est passé dans une pièce, et moi dans une autre, et...

– Hé. Hé ! Je n'ai pas envie de savoir.

– Tu sais dans quoi il a joué ? intervint mon père. Tu te souviens d'*Explosion virtuelle* ? Il jouait le cinquième Navy Seal, le tuberculeux. Tu sais, celui qui toussait sans arrêt.

– Et aussi dans ce film avec tous ces gadgets incroyables, ajouta ma mère. Il y a quelques années, tu te rappelles ? Il jouait le portier au chapeau melon.

J'avais déjà lancé une recherche sur sa filmographie et j'étais en train de la survoler. Aucun des titres dans lesquels il apparaissait n'obtenait plus de deux étoiles. Mes parents vérifiaient ce que je faisais, je les sentais tourner autour de mon interface, et ma mère dit :

– Peu importe dans quoi il a joué.

Elle glissa un mot à mon père, qui confirma :

– C'est vrai, la question n'est pas là.

– Le principal, conclut ma mère, c'est que tu saches que tu es un garçon très séduisant, et très courageux.

– Tu as traversé des moments difficiles, ces derniers temps, dit mon père.

– Tu t'es montré très courageux, répéta ma mère.

– Ah... ? fis-je. Je me suis juste écroulé. Le type m'a touché et je me suis, eh bien, écroulé.

– Tu as été courageux, affirma mon père.

– Nous avons décidé que tu avais besoin qu'on te remonte le moral, dit ma mère.

Je commençais à me sentir un peu mieux. Je sentis leurs deux interfaces s'orienter vers un même point, une bannière publicitaire qu'ils étaient en train de charger.

– Nous avons décidé de t'offrir ton propre aérocar, annonça ma mère.

– C'est toi qui le choisiras, dit mon père. Dans certaines limites.

– Oh, mon Dieu! m'exclamai-je. Oh, mon Dieu! Maman! Papa! c'est... Oh, mince! Ça alors! C'est pas des blagues? Vous êtes les meilleurs parents du monde!

– Ce n'est pas une blague, confirma mon père. Voilà la bannière.

Elle se déroula dans ma tête. C'était l'enseigne d'un revendeur, des liens vers d'autres enseignes, et une ligne de crédit longue comme le bras.

Je me jetai au cou de mes parents, et je me dis : « Nom de Dieu, pas plus tard que demain j'irai chercher Violet dans mon aérocar à moi » et soudain, soudain, je n'avais plus la sensation d'être stupide.

... du tout ce que voulait dire le président dans
cette communication abusivement interceptée.
Ce n'était, heu... rien d'autre qu'un vulgaire problème
de traduction. Il faut comprendre que...
Il faut comprendre que lorsque le président disait
du Premier ministre de l'Alliance globale qu'il avait
la « tête pleine de merde », ce qu'il a voulu dire c'est que,
heu... – il s'agit d'une expression américaine utilisée
pour louer l'intelligence de quelqu'un, par référence
à la puissance fertilisante de ses idées. Le président
voulait simplement dire que la tête du Premier ministre
était féconde, pleine de ces nutriments dans
lesquels les meilleures idées peuvent s'épanouir.
En réalité, il s'agissait d'un compliment.
Nous répétons une fois encore que toute tentative
de retrait de la présence diplomatique de l'Alliance
globale du sol américain serait considérée comme
un geste de mauvaise volonté, et que, heu,
nous serions obligés de réagir avec toute la...

Puissance ascensionnelle

Samedi, mon père m'emmena essayer des aéro-cars. J'en avais essayé des tas par simulation sur interface, mais ce n'était pas la même chose que de les conduire. Il faut toujours conduire un véhicule avant de l'acheter, parce qu'on ne sait jamais quels facteurs imprévus peuvent entrer en ligne de compte. Je pus ainsi m'apercevoir que la hauteur du pare-brise de l'Illia Nuage, par exemple, ne me convenait pas, ou que je n'aimais pas la disposition du tableau de bord de la Dodge Cormoran.

Nous passâmes prendre Violet au centre commercial pour qu'elle vienne avec nous. Elle et moi étions très excités par cette affaire et nous communiquions par interface à tout bout de champ – quelle couleur choisir, le rouge était-il un peu terne ou, au contraire, feuille morte comme elle le prétendait ?

Mon père s'assit à côté de moi pour les essais. Il discutait avec quelqu'un d'autre par interface pendant que je conduisais. Il regardait par la vitre et se crispait chaque fois que Violet ou moi parlions à voix haute. Il avait du mal à penser et à entendre en même temps.

Quand il eut fini sa discussion, il se tourna vers moi et me demanda :

– Alors, tes impressions ?

Violet me glissa :

– Résiste à l'interface. Demande à voir les chars à bœufs.

– Oui, merci, Violet, dit mon père. Nous essayons de prendre une décision délicate, là. (Il se retourna vers moi.) Qu'en dis-tu ?

Je lui parlai maniabilité ou puissance ascensionnelle.

Violet continuait :

– Et si tu prenais un howdah ?

– Qu'est-ce que c'est, un howdah ? voulut savoir mon père.

– La nacelle que l'on place sur le dos des éléphants.

– Très bien. Très bien. Merci beaucoup.

Violet et moi passions et repassions entre les rangées d'aérocars. J'hésitais entre la Swarp et la Dodge Griffon. La Dodge Griffon avait une banquette arrière plus large, pour les copains et tout ça, mais elle était plus massive.

Donc, le choix se présentait ainsi : Dodge me peignait en train de conduire, avec toutes ces créatures en bikini sur ma banquette arrière – sans oublier le ballon de plage –, comme si c'était un rêve auquel je pouvais donner réalité ; et Nongen, qui fabriquait la Swarp, me faisait miroiter une balade romantique à travers les montagnes, rien que pour moi et Violet. Le portrait de cette dernière était d'ailleurs plutôt réussi, à ceci près qu'ils lui avaient ajouté dix centimètres et deux tailles de bonnet et que ses joues luisaient d'une manière qui, dans la réalité, m'aurait fait sortir mon mouchoir pour les essuyer.

Je n'arrivais pas à me décider. Si je choisissais un aérocar trop petit, Link et Marty risquaient de dire : « Prenons le mien, plutôt ; on pourra tous monter à l'intérieur », et j'aurais dépensé des centaines de milliers de dollars pour rien. D'un autre côté, la Swarp était plus sportive, alors que la Dodge Griffon était peut-être un peu trop familiale.

– Si je comprends bien, c'est une récompense pour avoir été à l'hôpital ? me demanda Violet.

– Je suppose.

– Un petit cadeau de papa et maman ?

– Oui. Ce sont eux qui me l'achètent.

Elle réfléchit à la question une minute. Puis elle secoua la tête.

– Tu as de la chance.

– Tu trouves que je suis gâté ?

– Non.

– Pourtant, c'est bien ce que tu as l'air de dire.

– Non, pas du tout.

J'y réfléchis une seconde, puis je dis :

– Alors, que veux-tu dire ?

– Rien.

– Écoute, c'est comme un dédommagement. Il va falloir que je témoigne au procès. Toi aussi, d'ailleurs, et nous devrons aller en justice contre ce type. C'est normal que nous en retirions quelque chose. Nous l'avons mérité.

Elle me jeta un drôle de regard.

– Quoi ? dis-je.

– Tu n'es pas au courant ?

J'attendis. Elle gardait les sourcils haussés. Je finis par capituler.

– Non. Au courant de quoi ?

– Nous n'irons pas en justice.

– Nous ne sommes pas cités ? Mon père ne voulait pas que nous le soyons.

– Ce n'est pas ça. Le type est mort.

– Quoi ? Comment ça ?

– Le lendemain de notre admission à l'hôpital. Contusions. Fracture du crâne.

– Qu'est-ce que c'est, des contusions ? (Je fis une recherche sur le mot.) Oh.

– Il a été battu à mort, dans la boîte. Sous nos yeux. Les flics, tu as oublié ? Ils l'ont cogné sur la tête.

Elle tendit la main et me prit par le bras.

Mon père se dirigeait vers nous à travers le parking, en agitant la main.

Les bannières en plastique flottaient dans la brise artificielle tandis qu'une Muzak céleste se déversait des haut-parleurs.

J'achetai la Dodge.

Une question de morale

Ce soir-là, Violet dîna avec nous en famille. Mon père était très fier de moi.

– Il a conduit tout seul pour rentrer. Vous imaginez un peu ? Mon propre fils, en train de me suivre dans son propre aérocar ?

Je souriais de toutes mes dents.

– C'était super.

Ma mère me sourit.

Boule Puante ne nous prêtait aucune attention. Il suivait une émission musicale enfantine à l'interface, si fort qu'il était probablement en train de se bousiller le nerf auditif. Il avait une assiette lapin et jouait avec son *burrito.*

– Tu comptes emmener Violet en balade ? me demanda ma mère.

– Demain. Nous irons faire un tour à l'extérieur. Elle a envie de marcher un peu. Je dois la retrouver devant chez elle.

Voilà que je me reprenais à sourire comme un demeuré.

Violet me sourit à son tour.

– On m'a parlé d'un bois, dit-elle, Jefferson Park. Nous pensons aller par là-bas, ou du côté des champs de bœuf.

Mon père hocha la tête.

– Ce sera les champs de bœuf, je le crains. Le bois n'existe plus.

– Jefferson Park ?

Il hocha la tête, puis loucha légèrement en cherchant à déloger, du bout de la langue, quelque chose coincé contre son palais.

– Oui. Ils l'ont rasé pour construire une usine d'air.

– Vous voulez rire ! s'écria Violet.

– Non, c'est la vérité, dit mon père en haussant les épaules. Il faut bien respirer.

– Les arbres produisent de l'oxygène, fit remarquer Violet.

Je tiquai, car je savais que mon père trouverait cette remarque arrogante.

Il dévisagea longuement Violet. Puis il dit :

– Sans doute. Mais sais-tu à quel point ils sont inefficaces, à côté d'une usine d'air ?

– Nous avons besoin des arbres !

– Pour quoi faire ? Ils sont jolis, d'accord, et c'est bien dommage, mais... As-tu une idée du prix de l'immobilier ?

– Je n'arrive pas à croire qu'ils l'aient rasé !

Ma mère dit à Boule Puante :

– Hé ! Arrête de jouer avec la nourriture !

Boule Puante secouait la tête au rythme de la musique d'interface et faisait tournoyer son assiette lapin avec ses petits doigts boudinés.

Mon père lui dit :

– C'est un dîner en famille. C'est un moment où nous sommes tous ensemble, et pas sur l'interface.

– Raser Jefferson Park ! C'est typique des grandes compagnies…

Mon père hocha la tête et lui adressa son sourire le plus condescendant.

– J'étais pareil à ton âge. Quand tu seras plus grande, tu pourrais toujours devenir, je ne sais pas, une militante de l'air pur ou quelque chose dans ce genre ? Ne change pas, va ! Mais souviens-toi. Ce n'est pas tant la question des arbres, mais celle des gens. Nous avons besoin de beaucoup d'air.

Pendant une minute, le repas se poursuivit en silence. Violet avait l'air fâchée, ou peut-être embarrassée. Je lui communiquai par interface que j'étais désolé, pour mon père, mais elle ne me répondit pas. Je trouvais qu'il avait été grossier avec elle. J'aurais voulu dire quelque chose, lui faire comprendre que c'était elle qui avait raison et pas lui. Je dis :

– Au fait, Violet m'a dit que nous n'irions pas en justice.

– A propos de quoi ? demanda ma mère.

– Nous avons tout de même été agressés, dis-je. Tu te souviens ? Sur la Lune ?

– C'est juste, reconnut mon père. Non, l'homme est mort. Il n'y aura pas de procès. Nous en avons discuté avec les autres parents. Nous allons probablement poursuivre la boîte, et peut-être la police.

– Personne ne m'a dit qu'il était mort.

Mon père mastiqua sans répondre.

Boule Puante secouait la tête et fredonnait ce qu'il écoutait à l'interface :

– Oral ou inter-fémoral. Ce n'est pas une question de morale.

Mon père me dit :

– Tu n'avais pas besoin d'être au courant.

– Si, j'avais besoin.

– Non.

– C'est mon interface.

– Tu te serais inquiété.

– Je tiens à m'inquiéter ! Quand il y a un mégaproblème comme celui-là.

– Oral ou inter-fémoral ! Ce n'est pas une question de morale.

Ma mère se pencha pour me prendre le poignet.

– Tu ne crains plus rien maintenant.

– Et puis, tu as un aérocar, dit mon père.

– Le cinglé est mort. Tu n'as plus aucune raison de t'en faire.

Violet intervint :

– Nous avons tous eu très peur.

– Oui, bien sûr, dit mon père en écartant sa remarque d'un revers de main, mais il n'y avait pas de quoi...

– Oral ou inter-fémoral ! Ce n'est pas une question de morale.

– Boule Puante !

– Ne l'appelle pas comme ça ! dit ma mère.

– Oral ou inter-fémoral ! Ce n'est pas une question de morale.

– Que voudrais-tu que… ?

– Oral ou inter-fémoral ! Ce n'est pas une question de morale.

– Hé ! cria ma mère. On ne chante pas à table !

– Tu en fais toute une histoire, m'accusa mon père en me désignant du doigt. Je suis déçu par ton attitude.

– Quelle attitude ? dis-je. Je veux simplement savoir.

– Fiston, je viens de t'acheter un aérocar, et tu es en train de jouer les enfants gâtés.

Tu n'es pas en train de jouer les enfants gâtés, me transmit Violet.

– Pas de transmission à table, dit mon père. Qu'est-ce que vous venez de vous dire ?

– Fiche-leur la paix, Steve, intervint ma mère.

Soudain, je vis Violet se figer, le regard fixe et le visage livide.

Mon père ne s'était aperçu de rien.

– Écoute, nous allons poursuivre la boîte en justice. D'accord ?

– Bien sûr, dis-je. Comme tu veux.

– C'est réglé ?

– C'est réglé.

– Maintenant, tu ferais bien de ramener ta copine chez elle. Dans ton aérocar tout neuf. Avec les clefs que j'ai déposées dans ta main tout à l'heure comme un cadeau. Oui, parce que c'était un cadeau !

Mon père se leva, très raide, et emporta la vaisselle dans la cuisine. Il fit crisser les assiettes sur le rebord du vide-ordures. Elles dégringolèrent bruyamment dans le, le truc, l'incinérateur.

– Ça va ? demandai-je à Violet. Il est temps d'y aller.

– C'est juste que mon pied est tout engourdi.

– Secoue-le.

Elle baissa les yeux sur la table. *Je veux dire que mon pied ne m'obéit plus. Ne dis rien. C'est déjà arrivé deux ou trois fois depuis le piratage. Parfois, une partie de mon corps ne réagit plus pendant une heure ou deux. Un doigt, ou autre chose.*

Bon sang ! m'exclamai-je. *Comment te sens-tu ?*

Je vais bien.

Tu veux un peu d'eau ?

Titus, ce n'est pas la peine de t'inquiéter. Ça va revenir dans une minute. C'est juste le stress.

Essaie de remuer ton pied. Essaie, simplement.

Elle restait assise là sans bouger, souriante, un peu pâle, tandis qu'à côté d'elle maman et Boule Puante froissaient la table et la jetaient dans le vide-ordures.

Elle était sur sa chaise, seule, au milieu du tapis.

Enfin, elle réussit à bouger son pied. Elle lui fit décrire des petits cercles. Elle respirait profondément, les yeux fermés, comme si elle était en train de faire l'amour.

Je lui tendis la main et l'aidai à se lever. Elle me tomba dans les bras comme si nous étions deux danseurs de flamenco. Ma mère sourit et mon père, qui continuait à faire la gueule, grogna :

– C'est ça ! Trop mignon.

Nous partîmes quelques minutes plus tard. Je la ramenai près de chez elle, sur le parking d'un centre commercial où son père devait nous retrouver. C'était un centre de construction récente, avec des projecteurs qui balayaient la nuit et des arcs-en-ciel qui encadraient une pyramide géante. Son père n'était pas encore arrivé. Nous l'attendîmes quelques minutes, main dans la main. Dans ma nouvelle Dodge Griffon.

Je lui demandai :

– Tu es certaine que ça va ?

– Je vais bien. Ça se dissipe.

J'appuyai la tête contre la vitre. Nous restâmes silencieux un moment.

Elle contemplait ses genoux. Elle me demanda :

– A quoi penses-tu ?

Je regardai par-dessus mon épaule. Je poussai un soupir en tambourinant du bout des doigts sur la colonne de direction.

– Et si elle n'était pas aussi maniable ? Tu sais, elle est plus confortable, mais si elle n'était pas aussi maniable que la Swarp ?

Elle acquiesça et dit :

– La couleur te plaît, au moins ?

– C'est un beau rouge, dis-je. Enfin, je crois.

– Feuille morte. C'est une jolie couleur.

– Tu es sûre qu'elle ne fait pas trop ringard ?

– Elle fait automne.

Je souris.

– Merci.

– Je suis une crème, dit-elle.

– C'est ça. Tu es une crème.

Son père atterrit. Les reflets sur son pare-brise dissimulaient ses traits.

Elle sortit de l'aérocar. Elle m'embrassa. Je promis de passer la prendre le lendemain.

Elle s'éloigna sur le bitume en se retournant à chaque pas pour me faire signe. Les projecteurs tremblotaient au-dessus des Nuages™. La pyramide scintillait. Je m'élevai dans la nuit et allumai mon interface. Je captai une chanson à propos de deux personnes qui avaient la chance de se réveiller dans le même lit, et de partager le petit déjeuner, deux toasts sur la même soucoupe.

Parce que si l'amour
Ne peut pas nous unir,
Ne sait pas nous bénir,
Sous ses ailes de velours,
Alors laisse-moi partir.

Et si l'espoir
N'était qu'une chimère
Qui nous tient dans ses serres

La potion serait trop amère,
Alors laisse-moi partir,
Chérie,
Laisse-moi partir.

Mais…
Mais si la foi
Est plus qu'un fantôme,
Si elle est de bonne foi,
Alors, ayons la foi
Et serre-moi contre toi.

Parce que « se toucher »
Signifie plus que se toucher,
C'est le contact de deux êtres,
Comme ta bouche contre la mienne,
Alors serre-moi contre toi,

Chérie,
Serre-moi contre toi.
Se-eh-ere-moi contre toi.
Serre-moi contre toi.
Serre-moi contre toi.

Le lendemain, je me rendis chez elle en suivant les indications de mon interface. Je dus couvrir trois cents kilomètres environ. C'était une journée idéale pour une balade en pleine nature. Malgré quelques gros Nuages™, il faisait un temps splendide. Le soleil éclaboussait les aérocars que je croisais.

Le quartier de Violet se trouvait au fond d'un immense tube. Je passai devant plusieurs banlieues en descendant – Fox Glen, Caleby Farm Estates, Waterview Park, et enfin, tout en bas : Creville Heights.

Creville Heights formait un vaste ensemble, au lieu d'une succession de domaines possédant chacun sa propre bulle avec son soleil et ses saisons. Ils devaient probablement avoir un seul soleil pour tous. Les maisons étaient vieillottes et ternes. Les rues bleuies se fendillaient, et c'étaient de vraies rues, comme à l'époque où les véhicules y circulaient encore. Leur soleil était levé et je notai que le ciel s'écaillait par endroits.

Je dénichai sa maison, une petite maison avec l'aérocar de ses parents garé devant et une espèce de sculpture dans le jardin, avec des sortes d'anneaux, ou de rubans, autour d'une balle flottante hérissée de pointes.

Je me garai sans couper la lévitation, sautai à terre

et marchai jusqu'à l'entrée. Le carillon joua un morceau de musique que j'entendis à travers la porte – une porte en bois !

Elle vint m'ouvrir, tout sourire ; elle était très contente de me voir, et moi aussi. Elle m'invita à entrer pour faire la connaissance de son père. Je la suivis.

C'était un vrai capharnaüm. Il y avait des mots partout : sur des feuilles de papier, des livres et même sur des posters accrochés aux murs. Son père ressemblait à un savant fou. Assis dans un fauteuil en rotin dans le living-room, il se tenait penché en avant, comme un bossu, occupé à trier les pièces d'un puzzle. Et il avait bien une grosse bosse sur le dos : c'était une très, très vieille interface externe, du temps où elles se portaient en sac à dos, avec des lunettes spéciales équipées d'écrans déroulants de part et d'autre des yeux. Il portait les lunettes, aussi, et en lui serrant la main je vis des images et des mots scintiller dans ses pupilles, comme des reflets à la surface de l'eau.

Il me dit :

– C'est un réel plaisir de te rencontrer et de faire ta connaissance. (Il affichait en permanence un mince sourire, même quand il remuait les lèvres. Il avait une voix monocorde affligée d'un léger zézaiement.) Je suis rempli d'émerveillement devant la régularité de tes traits, comme devant la générosité dont tu as fait preuve envers ma fille. Vous vous ressemblez beaucoup tous les deux, ce qui me réchauffe le cœur.

Vous êtes aussi semblables que deux ailes jumelles arrachées au même papillon.

– Tu comprends pourquoi j'évite de le sortir en société ? dit Violet.

– Nonobstant les sarcasmes de ma fille, la rencontre de l'une de ses conquêtes érotiques est un grand moment pour moi. Jusqu'à présent, elle ne les ramenait jamais à la maison. Elle donnait plutôt ses rendez-vous galants dans des endroits discrets, dans des paillotes de plage, peut-être, ou des salons riches en oxygène.

– Le plus étonnant, fit observer Violet, c'est qu'il s'est fait recaler à l'école de charme parce qu'il était incapable de retenir le menuet.

– Elle fait leur connaissance au théâtre, je suppose, ou dans des bars clandestins.

– Filons, suggéra Violet, avant que ma dignité soit totalement réduite en pièces.

Je balbutiai :

– Je... je suis très heureux d'avoir fait votre connaissance. Nous allons passer la journée à la campagne. Je prendrai soin d'elle, vous pouvez me faire confiance.

J'essayai de m'adresser à lui d'homme à homme, en adulte responsable.

Il acquiesça. Il aplatit la main, l'éleva doucement comme si c'était ma Dodge Griffon, en imitant un bruit de moteur, puis la fit planer jusqu'à une pile de livres et la posa dessus. Il fit ensuite des petits crissements, comme ceux d'une vitre que l'on baisse, et imita la voix haut perchée d'un adolescent pour s'exclamer :

– Oooh ! Observez cette verdure remarquable ! Très chère, tout ce que vous voyez m'appartient.

Je hochai la tête. Violet avait déjà ouvert la porte. On s'est dépêchés de grimper dans la Griffon et de boucler notre ceinture.

– Waouh ! dis-je.

– Ouais.

Je décollai et nous remontâmes la rue.

– C'est un personnage.

– Du point de vue de ma vie sociale, ce ne serait pas une mauvaise idée de le garder dans la cave, entortillé dans un cocon d'isolant rose.

– Je n'ai pas compris un seul mot de ce qu'il a dit.

– Il prétend que le langage est en train de mourir. Il pense que les mots sont progressivement vidés de leur sens. Alors, il s'efforce de recourir à l'ironie et aux expressions les plus alambiquées pour qu'on ne puisse pas interpréter ses paroles.

Nous tournâmes au coin.

– Où est ta mère ? demandai-je.

– Probablement en Amérique du Sud, dit Violet. Elle aime les grandes chaleurs.

– Ils sont divorcés ?

– Ils n'ont jamais été mariés.

– Ta vie… doit être un peu bizarre, non ?

– C'est-à-dire ?

– Oh, c'est juste que... ce n'est pas le genre de trucs qui... arrive à tout le monde, si ?

– Non, répondit-elle comme si elle ne tenait pas à s'étendre sur le sujet.

Je m'engageai dans le tube d'expulsion, et nous jaillîmes à l'extérieur.

Une journée à la campagne

Nous survolâmes les terres agricoles pendant une heure environ.

Durant le vol, Violet me raconta l'histoire de sa famille : la rencontre de ses parents à l'université, leur décision de vivre ensemble à titre expérimental, puis sa naissance. Ensuite, tout alla bien durant quelques années mais, lorsqu'elle eut six ou sept ans, ses parents commencèrent à se disputer sans arrêt, à se crier dessus au moindre prétexte, et sa mère partit. Je lui demandai si c'était à ce moment-là que son père était devenu comme il était, c'est-à-dire difficile à comprendre. Elle répondit qu'il avait toujours été ainsi, et que cela avait empiré après le départ de sa mère.

Elle me passa quelques sauvegardes qu'elle avait faites de ses leçons. On le voyait aller et venir au fond de l'amphithéâtre en disant :

– Dans les années 1990, les vieux langages de programmation, en mettant l'accent sur des structures logiques néoclassiques, voire aristotéliciennes, ont ouvert la voie à des structures interactives centrées sur les objets.

Ses chaussures crissaient sur le dallage. Il regardait chacun de ses étudiants dans les yeux, avec un air de défi. Il se pencha vers eux et poursuivit :

– Dans la programmation centrée sur les objets, les objets logiciels discrets pouvaient interagir plus librement, selon un système corporatiste de prestation de services qui reflétait exactement les structures émergentes du capitalisme tardif.

Dieu seul savait ce qu'il voulait dire par là, mais il se dégageait brusquement de sa personne une sensation de puissance. Ce n'était plus un vieux fou à emmailloter dans de l'isolant rose et à dissimuler quelque part dans une cave ; on aurait dit un autre homme.

Elle me dit que les seules fois où il lui arrivait de s'exprimer normalement, c'était lorsqu'il était très fatigué et qu'ils dînaient tous les deux avant d'aller se coucher.

Elle et lui préparaient le dîner à tour de rôle. Ils venaient de s'acheter un synthétiseur alimentaire Kitchnet.

Elle voulut connaître l'histoire de ma famille, qui était loin d'être aussi originale. C'était juste : « Blablabla, mes parents se sont connus par une amie commune, blablabla, ils sont sortis tous les deux, ils ont commencé à vivre ensemble, blablabla, ils sont allés sur Vénus, blablabla, ils se sont retrouvés dans ce restaurant sur Vénus, tu sais, à l'époque où on l'appelait encore la planète de l'Amour – prononcé " Amûr " –, avant les grands tremblements de terre et les soulèvements de terrain. Ils étaient donc assis là, mon père avança sa main et ma mère vit une grosse bosse à l'un de ses doigts, comme une espèce de kyste, tu vois ? Alors elle dit quelque chose comme : " Steve, qu'est-ce que tu as, ce n'est pas un truc malin, au moins ? " Et mon père : " Chérie, j'espère bien que c'est bénin ", et il a tiré une petite languette. Une bande de peau s'est détachée et, dessous, il portait une bague de fiançailles, à même le doigt ! Alors, il l'a retirée pour la glisser à son doigt à elle, la bague s'est resserrée automatiquement et ma mère s'est exclamée : " Oh, mon Dieu ! Oh, mon Dieu ! " Tous les clients du restaurant se sont mis à applaudir. Mais elle : " Non, c'est la bague, elle me coupe complètement la circulation ! " Ils ont dû se rendre en catastrophe chez un bijoutier pour la faire couper. Et depuis, chaque fois qu'ils se réconcilient après une dispute, ma mère sort toujours la même blague : " Pour sûr, je suis ta femme, j'ai même les cicatrices qui le prouvent. "

J'étais content d'entendre Violet me raconter son histoire, et de lui raconter la mienne à mon tour, même si la sienne était plus intéressante. Je dis que cela ne devait pas être facile pour son père de l'élever tout seul et de lui faire la classe à la maison. Elle répondit qu'en effet il se donnait beaucoup de mal, et aussi beaucoup de peine pour enseigner. Elle était fière de lui, même s'il était – d'après ce que j'en avais vu, enfin, selon moi – complètement cinglé.

Nos interfaces captèrent la bannière d'une ferme ouverte aux visiteurs, où l'on pouvait se promener et voir les champs de nourriture. Nous décidâmes de faire un crochet et de nous poser. Il n'y avait pas grand monde, ce jour-là, et on se retrouva pratiquement seuls sur le circuit.

Tout était tranquille. Nous avancions main dans la main ; nos coudes se touchaient de temps en temps. Violet portait un haut sans manches, et je voyais les petits plis que formait sa peau au niveau du coude.

Ça sentait la campagne. C'était une ferme de filet mignon, exclusivement, et la viande s'étendait sur des kilomètres de part et d'autre du sentier de promenade. Elle se dressait autour de nous comme de gigantesques haies rougeâtres, striées de marbrures du plus bel effet. Des tuyaux apportaient le sang, qu'on voyait circuler à travers la viande. C'était vraiment intéressant. J'aime bien voir comment sont fabriquées les choses, comprendre d'où elles proviennent.

L'après-midi s'écoula comme un rêve. Le parcours comprenait un labyrinthe taillé dans le steak à l'intention des visiteurs, et nous partîmes chacun de notre côté, pour voir lequel des deux arriverait au centre le premier. Nous remontions les allées en courant, jetant des coups d'œil à chaque coin ; des miroirs avaient été placés à des endroits stratégiques pour égarer les promeneurs, en leur faisant croire à des couloirs inexistants. Nous riions, nous nous cognions l'un dans l'autre au détour d'une allée, nous reculions en grommelant ; les autres touristes présents dans le labyrinthe nous trouvaient adorables.

Ensuite, nous nous assîmes pour déguster des beignets au cidre achetés à la ferme. Certains étaient nature, d'autres à la cannelle. Je préférais ces derniers. Violet soutenait qu'il était important de commencer par les beignets nature, pour mieux savourer la cannelle ensuite. Elle avait une théorie selon laquelle tout ce qui se faisait attendre s'appréciait davantage. Elle avait de grandes idées sur le self-control, et l'importance du self-control. Par exemple, quand elle voulait s'acheter quelque chose, elle laissait toujours passer un long moment avant de le commander. Ensuite, elle se rendait sur le site d'achat et observait le produit. Puis elle laissait son interface lui faire une démonstration, vous savez, rien que pour goûter la sensation. Après, elle s'en allait et n'y revenait plus avant une semaine. Quand elle était enfin prête à commander, elle choisissait toujours des articles qui n'étaient pas disponibles immédiatement. Et au moment de payer, elle refusait de se faire livrer dans l'heure, en disant, non, faites-le-moi parvenir au tarif économique. De sorte que sa commande mettait trois jours à lui arriver. Bien entendu, elle ne l'ouvrait pas immédiatement. Elle commençait par soulever le couvercle, juste assez pour entrevoir l'ourlet de la jupe ou je ne sais quoi. Elle palpait le contenu, savourant le simple fait de savoir que c'était à elle. Elle passait les doigts dessus très délicatement, sans le toucher véritablement, en l'effleurant du bout des doigts ou, parfois, avec le dos de la main. Il pouvait s'écouler plusieurs jours avant que, n'y tenant plus, elle finisse par déballer sa commande et par l'essayer.

A ce stade, je commençais à être très excité. J'aurais voulu nous acheter d'autres beignets car ils étaient vraiment délicieux, mais je n'osais pas me lever à cause de la bosse que j'avais dans le pantalon.

Alors, nous sommes restés assis là un moment, pendant que je lissais machinalement le sachet de beignets contre la table. On voyait que c'étaient d'excellents beignets aux cercles gras qu'ils laissaient sur le papier.

Au bout d'un moment, nous nous sommes levés pour grimper au sommet d'une tour d'observation qui dominait la ferme. Le soir tombait, c'était magnifique.

Nous étions assis côte à côte, en balançant nos jambes dans le vide, et les Nuages™ se teintaient de rose devant nous. Le filet mignon s'étendait en contrebas à perte de vue. Par endroits, un défaut dans le codage génétique faisait apparaître au milieu de la viande une corne, un œil ou un cœur qui battait dans le crépuscule. Le soleil rougeoyait sur ces kilomètres de muscles parcourus de frissons et d'ondulations, et des oiseaux planaient loin au-dessus, poussant des cris plaintifs, peut-être des mouettes qui cherchaient des ordures, et toute la scène – le bœuf, les oiseaux, le ciel –, tout cela scintillait comme si une lumière était dissimulée à l'intérieur et ne demandait plus qu'à se montrer.

Plus tard, alors que nous rentrions dans la nuit, elle me demanda :

– Si tu pouvais choisir, comment préférerais-tu mourir ?

Je regardai son visage éclairé par la lueur du tableau de bord.

– Pourquoi me demandes-tu ça ?

– Oh, j'y pense beaucoup ces derniers temps.

Je pris le temps de réfléchir. Puis, je répondis :

– J'aimerais éprouver, tu sais, un plaisir incroyable de tous les sens, chaque sens sollicité à fond comme si j'allais exploser, avec mon interface qui tournerait à un kilomètre seconde, toutes les chaînes qui se bousculeraient, toujours plus vite, de plus en plus fort jusqu'à ce que... BOUM ! Ce serait fini. Je mourrais d'une sorte d'overdose sensorielle.

Elle hocha la tête.

J'ajoutai :

– Je ferai ça quand je serai très vieux et très fatigué.

– Hum... Tu sais, je crois que la mort n'est plus quelque chose d'aussi profond aujourd'hui. Autrefois, c'était un puits sans fond dans lequel on tombait. Maintenant, ce n'est plus qu'un vide.

Nous survolâmes un lac. Une immense publicité bleue, grossie par l'eau, brillait tout au fond. Elle montrait un cerveau souriant et accompagné de ces mots « Dynacom Inc. » quand on la regardait.

– Pourquoi penses-tu à ça ?

– On apprécie encore mieux les bons moments quand on sait qu'ils finiront un jour, répondit-elle. C'est comme les légumes grillés. Ils sont encore meilleurs quand ils sont partiellement carbonisés.

Je faillis suggérer que c'était probablement parce que son père avait l'habitude de s'occuper du gril, mais qu'une autre personne ne les aurait pas fait brûler. Seulement, je ne crois pas que c'était ça le problème, dans cette histoire de légumes, si bien que je me contentai de piloter et de demander :

– Et aujourd'hui, c'était un bon moment ?

– L'un des meilleurs.

– Alors, quand viendra l'heure de m'administrer mon overdose de plaisir, tu penses que tu seras là pour leur dire de couper le jus ?

Elle me regarda, l'air surpris. L'espace d'une seconde, elle parut totalement désorientée. Comme si j'avais dit autre chose.

Quand elle comprit ce que j'avais voulu dire, elle éclata de rire.

On aurait dit que je venais de lui faire un cadeau.

– Si tu veux de moi, d'accord. Tu peux compter sur moi.

Elle se pencha vers moi, brusquement, et m'embrassa sur la joue. Puis, elle murmura :

– Je serai là pour tirer sur ton câble.

Dans sa bouche, cette image avait quelque chose de sexy.

Jusque-là, tout allait pour le mieux.

Je la déposai devant chez elle. On fit encore d'autres plans, et on échangea une poignée de main secrète. Je rentrai en écoutant hurler des groupes britanniques de storm & chunder. Quand j'arrivai à la maison, toutes les lumières étaient éteintes, mais elles s'allumèrent pour moi. Je traversai la maison déserte, me mis au lit et méditai sur la perfection de la situation.

Je pouvais sentir ma famille à proximité. Leurs interfaces n'étaient pas masquées, et je pouvais les localiser. Boule Puante était en train de rêver sur un site de loisirs où des girafes parlantes lui chantaient des chansons et lui montraient toutes sortes de merveilles. Mes parents se trouvaient à l'étage, en train de boguer – ils n'apprécieraient pas que je le sache mais c'était facile à voir, parce qu'ils avaient opté pour un site de bogue particulièrement cher et peu discret. Pour évacuer un peu la pression, j'imagine. On ne peut pas rester stressé indéfiniment sans évacuer la pression de temps en temps.

Je sentais donc mon frère et mes parents dormir autour de moi, chacun selon ses goûts, dans notre maison déserte, à l'intérieur de notre bulle où nous pouvions éteindre et allumer à volonté le soleil et les étoiles. L'interface me chuchotait les nouvelles tendances, parlant de pantalons plus longs ou plus courts, de groupes que je devrais connaître, de jeux avec de nouveaux niveaux, des stalactites et des champs de diamants... Des amis de toutes les couleurs buvaient du Coca, de la bière ruisselait le long d'une montagne et les stars de la série *Hein ? Non ! Pas possible...* avaient des lésions, si bien que les lésions se retrouvaient à la mode désormais, à la pointe de la mode, et la mienne était la plus belle de toutes. Le soleil se levait sur des pays inconnus, les sous-vêtements étaient à prix cassés, il existait de nouvelles techniques pour reconfigurer les pectoraux, les abdominaux et les seins, le président des États-Unis se déclarait confiant en l'avenir, Weatherbee & Crotch faisait une promotion spéciale sur les maillots de rugby, et des garçons et des filles vêtus de surplus militaires, le visage couvert de taches de rousseur, jouaient sur la plage et se roulaient dans les hautes herbes. Tout en m'endormant, j'entendais l'interface me répéter encore et encore : *Tout ira bien... Tout ira bien... Tout ira toujours bien.*

*... En premier lieu naquit la culture orale, la culture
de la parole, dans le désert et dans le veldt.
Apparurent ensuite les pictogrammes, puis les symboles,
dans les temples et les bazars des villes, et ce fut
le début de la culture écrite, suivie un peu plus tard,
dans les universités et sous les clochers des jeunes
nations, de la culture de l'impression. Ces trois périodes
– celles de la culture orale, de la culture écrite et de
la culture imprimée – ont toujours été considérées comme
les étapes primordiales du développement humain.*

*Mais nous sommes entrés dans une ère nouvelle.
Nous incarnons l'homme nouveau. Nous vivons
désormais à l'ère de la culture onirique, la culture
des rêves.*

*Et nous sommes la nation des rêves. Nous sommes
des voyants. Nous sommes des faiseurs de miracles.
Nous nous exprimons par des visions. Nos messages
sont un vol de colombes jailli du chapeau d'un magicien.
Il nous suffit de vouloir et de tendre la main,
et nos désirs se concrétisent sous nos yeux. Nous sommes
une race de sorciers, d'enchanteurs. Nous sommes
l'Atlantide. Nous sommes l'île magique de Mu.*

Tout ce que nous pouvons souhaiter nous appartient.

*Nous sommes à l'ère de la culture onirique.
Et nous, l'Amérique, incarnons la nation de tous les rêves.*

Cette nuit-là, je fis un cauchemar.

Quelqu'un me tapotait le crâne avec un plumeau. On essayait carrément de me l'enfoncer dans l'oreille. Une voix me dit :

– Chuchoter renforce la sensation d'étouffement.

Des images déferlèrent ensuite en provenance du monde entier, accompagnées d'explications, mais j'étais toujours endormi et je ne comprenais pas ce qu'elles signifiaient. Je vis des surplus militaires extrêmement bon marché, 150 dollars seulement, mais le piquage ne me plaisait pas, puis je pris conscience qu'ils étaient déchirés et tachés de sang. Je vis une émeute de rue, des gens qui hurlaient dans une langue étrangère, vêtus de surplus militaires ou de jeans et de T-shirts, et ils lançaient des pierres et des bouteilles, et la police avançait sur eux à cheval. Puis un homme brandit une arme dans la foule et une fusillade éclata. Ces gens se trouvaient devant une usine, environnés de nuages de gaz, et ils brûlaient des drapeaux américains. Le gaz s'épaissit de plus en plus et les gens s'activèrent, comme des pantins, se griffant le cou, agitant les bras, tombant sur les fesses ou martelant le sol. Ils s'écroulèrent. Je vis une pancarte montrant un crâne avec un petit démon assis à l'intérieur, au milieu du cerveau, avec des sortes d'éclairs d'énergie qui sortaient de sa bouche.

Je vis de vastes étendues d'une substance noire répugnante qui s'étalait sur des kilomètres et des kilomètres. Je vis des murailles de béton tomber du ciel et broyer de pauvres cabanes en bois. Je vis un animal à fourrure tenter de se redresser sur ses pattes, mais celles de derrière restaient inertes – à moins qu'elles ne fussent brisées –, et il devait se traîner, gémissant, sur ses pattes avant, dans le sable et la poussière jonchés d'aiguilles. Il avait les mâchoires béantes. Je vis d'immenses câbles au fond des océans. Je vis des fillettes en train de coudre, perdues dans de grands halls. Je vis des gens prier autour de missiles. Je sentis l'odeur de l'été dans la rocaille – une odeur de brûlure électrique. Je vis un gosse qui me regardait, un gosse d'une autre culture, dans laquelle on portait des robes. Il avait des ombres sur le visage, des ombres étonnantes, que je trouvais drôlement chouettes ; je me demandai comment il s'y prenait pour les faire. Jusqu'à ce que, finalement, je me rende compte que ce n'étaient pas des ombres, mais des bleus. Puis l'extrémité d'un fusil, la crosse, je crois, s'abattit sur lui et le frappa au visage. Et toutes les images disparurent.

Hé, dit Violet. *Hé, c'était toi ?*

Je fis : *Hein, quoi ? Qu'est-ce que c'était ? Avec… le…*

Je t'ai réveillé ?

OK, est-ce que je pourrais… Est-ce que tu… ?

Hé, debout là-dedans ! Il y avait quelqu'un qui foui-

nait autour de mon interface. Il a vérifié mes coordonnées et m'a envoyé tout un tas d'images.

C'était probablement une corporation. Pas de quoi... Oh, bon sang, tu m'as fichu une de ces trouilles. J'étais en train de faire un rêve hyper bizarre.

Je ne crois pas qu'il s'agissait d'une corporation. Il n'avait pas de logo.

Et ton bouclier ?

Il est rentré dedans comme dans du beurre.

Oh ! bon sang. Oh ! bon sang. Je... Dis, tu sais que je dormais ?

J'ai appelé l'assistance en ligne de FeedTech. Je vais leur signaler ça. Il y a quelque chose d'anormal.

Bon, d'accord. Mince alors. D'accord. Je peux me rendormir, maintenant ?

Tu es sûr que ce n'était pas toi ?

Ma belle, ce n'était pas moi. Je dormais si profondément que... que je n'aurais jamais cru que tu arriverais à me réveiller.

Ils devraient pouvoir remonter sa trace, je suppose.

Ouais. Peut-être.

Tu n'as rien vu du tout ? Aucune image ?

De quoi tu parles ?

Il y a quelqu'un, là, dehors. Tu le sens ?

Qui ?

Quelqu'un. Il nous espionnait, il y a encore une seconde.

Salut, c'est Nina, ton assistance en ligne FeedTech, dit une voix.

Dieu merci.

Est-ce que tu n'es pas fatiguée d'avoir toujours les mêmes épaules ? Et si tu essayais les extensions ?

Quelqu'un a consulté mon interface, déclara Violet. *Il a relevé mes coordonnées et toutes mes statistiques.*

Et que puis-je faire pour toi ce matin ?

Il faut suivre sa trace et, heu… découvrir qui c'est. Vite… Vite !

Violet, j'adorerais pouvoir répondre personnellement à chaque demande d'assistance, mais c'est malheureusement impossible, en raison d'un trop grand nombre d'appels. Voilà pourquoi j'ai envoyé cette intelligence automatique, Nina, pour t'assister au mieux.

Non, vous ne comprenez pas.

En examinant l'historique de tes achats récents, je remarque que tu as exprimé un intérêt pour beaucoup de produits sans les acheter. Éprouverais-tu des difficultés à faire ton choix parmi toutes ces propositions irrésistibles ?

Pouvez-vous me mettre en relation avec un opérateur humain, s'il vous plaît ?

Violet, je crois pouvoir t'aider à dénicher des produits qui te correspondront vraiment. Des produits qui clameront « Violet ! Violet ! Violet ! » comme si c'était tous les jours samedi. Oh, j'ai trouvé ! Te voilà presque une femme, désormais, et tu as besoin de produits de femme ! Je sais exactement ce qu'il te faut.

Ça va, transmit Violet. *Non merci. Merci. Je n'aurai plus besoin de vous.*

Certains choix sont parfois difficiles.

Allez vous faire foutre.

Je peux t'aider à faire le tri entre le bon et le moins bon. Ensemble, nous pouvons découvrir des produits uniques qui sauront mieux que tout autre souligner ta personnalité !

Allez vous faire foutre !

Très bien, j'ai l'impression que tu n'as pas très envie de parler pour le moment. Je retourne dans mon trou de souris. Je vais faire quelques recherches, du tri, et tâcher de vous rendre la vie aussi facile et fascinante que possible, à toi, à ton ami et à tous les excellents clients de FeedTech – faire de vos rêves une réalité™.

OK. Merci. Merci beaucoup.

Merci à toi, Violet Durn du 1421 Applebaum Avenue. Je me ferai un plaisir de t'aider à nouveau, chaque fois que…

Je peux retourner dormir, maintenant ? demandai-je. *Je faisais un rêve absolument incroyable.*

Violet semblait très lasse. Elle répondit : *Oui, dors. Nous parlerons demain.*

Nous nous souhaitâmes bonne nuit. Elle réagissait au ralenti. Je coupai la communication et me recroquevillai sous les draps. Les images qui me dansaient dans la tête étaient plus agréables, cette fois, moins violentes ou agressives. C'était plutôt des femmes en col roulé qui m'ébouriffaient les cheveux. J'entendais de la musique. Je m'endormis. Ce fut un sommeil sans rêve, dont je n'émergeai qu'au petit matin.

C'est un aérocar qui file à travers le désert.
Il zigzague hardiment parmi les défilés et
les ravins.

*Quelqu'un a dit un jour qu'il était plus facile
à un chameau de passer par le chas d'une aiguille
qu'à un riche d'entrer au royaume des cieux.*

Il y a une ville. Une place du marché.
Des chameaux. Des Arabes. L'aérocar passe
en rase-mottes, et tout le monde baisse la tête.

*Ben, tiens ! Sauf qu'aujourd'hui, nous savons que
« le chas d'une aiguille » désignait simplement l'une
des portes de Jérusalem – et comme, grâce à la puissance
ascensionnelle de la Swarp XE-11 et à son gyrostat
électrocinétique, vous pouvez piquer à quatre-vingt-dix
degrés et vous rétablir en une seconde virgule deux,
franchir la porte ne vous présentera plus la moindre
difficulté.*

La Swarp XE-11 : pourquoi hésiter plus longtemps ?

Une saveur unique

Un samedi, quelques jours après avoir assisté à cette émeute dans mon rêve, il y eut une grande opération commerciale selon laquelle, en rebattant suffisamment les oreilles de ses amis avec le goût unique du Coca-Cola, on pouvait gagner un pack de six canettes. Nous décidâmes de nous réunir et de répéter, « Coca, Coca, Coca », pendant des heures jusqu'à ce que nous ayons amassé de quoi boire durant un an. L'idée de battre les corporations à leur propre jeu nous paraissait infiniment drôle.

Je passai prendre Violet chez elle et nous volâmes jusqu'à la maison de Marty, où nous devions retrouver les autres.

A notre arrivée, Loga et Calista descendaient de l'aérocar de cette dernière et on s'écria : « Waouh », car leurs vêtements étaient en loques. Elles marchaient normalement, mais on aurait dit qu'elles venaient d'échapper à un incendie ou je ne sais quoi.

Je me précipitai vers elles en m'exclamant :

– Vous allez bien ? Qu'est-ce qui s'est passé ?

Et Violet, elle aussi, demanda :

– Heu... tout va bien ?

Elles nous regardèrent curieusement, puis échangèrent un regard, l'air de penser : « Oh, mon Dieu ! Ils ont grillé un fusible ! »

– Ben quoi ? dit Loga. C'est le style Émeute populaire. C'est rétro. Ça évoque les grandes émeutes du XXe siècle. C'est tendance depuis le début de la semaine.

– Oh, dis-je.

– Désolée, ajouta Violet.

– Il n'y a pas de mal, fit Calista en secouant sa chevelure.

A l'intérieur, Marty et Quendy aussi étaient habillés en Émeute populaire. Tout le monde y alla de son : « Salut ! Hé, salut ! Salut, toi ! Ça boume ? »

– Hé ! fit Loga en pointant le doigt sur Quendy. C'est la collection Kent State*, pas vrai ? J'adore la jupe !

Quendy arrondit les genoux.

– Ce n'est pas une jupe, c'est une jupe-culotte !

– Ahhh, j'adore !

– Ça te va au poil, dit Calista.

Quendy ne répondit rien. Calista venait de passer le bras autour de la taille de Link, et ils se reniflaient le museau. Quendy était verte.

– Allez, les amis ! lança Marty. On passe au… ouais, ici… c'est ça, mec… au salon. OK… C'est bon.

Tout le monde attrapa un siège.

– OK, dit Marty. *OK !* Et maintenant… Coca-Cola !

Nous attendîmes que quelqu'un commence.

Un long moment s'écoula.

* Manifestation contre la guerre du Vietnam qui eut lieu en 1970 à l'université de Kent State, Ohio, et au cours de laquelle quatre étudiants furent tués par des soldats de la Garde nationale.

Nous restions assis là, à nous regarder en chiens de faïence, en affichant des sourires convenus. Chacun de nous regardait les autres. Violet me glissa : *Ça me rappelle quand j'avais douze ans, une soirée pyjamas où chacune d'entre nous devait montrer ses seins. Au bout du compte, je crois que nous avons simplement regardé* Les Allergies les plus improbables d'Amérique.

– Bon…, commença Marty d'un air sournois. Qui veut se lancer sur le goût unique du… Coca ?

Loga dit :

– J'aime bien son côté rafraîchissant.

– C'est vraiment cool quand il fait chaud, approuva Link. Rien de tel qu'un bon Coca glacé.

– J'adore le Coca, dit Quendy, mais aussi le goût fantastique du Coca Light.

Link pinça Calista.

Elle poussa un soupir.

– Ouais, moi aussi.

Marty dit :

– Moi, le Coca, j'aime tellement ça que je crois que je pourrais cogner sur celui qui m'en refuserait un.

– Qui d'autre ? demanda Link. Vos avis sur la question ?

– Le Coca, c'est drôlement bon, dit Loga. Presque aussi bon que le Pepsi.

– Putain ! s'écria Marty, presque ? Tu viens de nous coûter un pack ! Continue, et c'est nous qui allons leur en devoir un.

Je dis, très vite :

– J'aime le Coca parce que c'est un concentré d'énergie.

Link pinça Calista. Elle poussa un soupir.

– Ouais, moi aussi.

Violet dit :

– J'adore sentir les bulles de Coca me couler dans la gorge, la douleur qu'on éprouve à ce moment-là… C'est comme… (Elle agita les mains et leva les yeux au plafond, à la recherche d'une image appropriée.) Comme des petits cailloux sucrés. Comme des employés à la sortie des bureaux, qui se bousculeraient pour attraper la navette au fond de mon gosier.

Tout le monde avait les yeux sur elle. Je sentais les autres communiquer par interface, trouvant probablement que ce n'était pas malin. Je m'assis plus près et posai la main sur sa nuque.

Elle reprit :

– J'essaie parfois de me rappeler la première fois que j'ai bu du Coca. Ça a dû être douloureux et, pourtant, je n'en ai aucun souvenir. Comment en sommes-nous parvenus à aimer ça ? C'est un goût qu'il a bien fallu acquérir. Je veux dire, qui m'a offert mon premier Coca ? Mon père ? Je ne crois pas. Vous imaginez un père tendre un Coca à sa gamine en se disant : « C'est son premier. Je suis tellement fier. » Comment avons-nous commencé ?

Il y eut un long silence.

Marty fut le premier à le rompre :

– Ouais. Voilà qui n'a pas dû arranger nos affaires.

Hé, que pensez-vous de la fantastique capacité moussante du Coca ?

La discussion reprit de plus belle. Coca et la concurrence, les glaces au Coca, les campagnes Coca, tout y passait. Mais Violet ne disait plus rien, elle restait assise en silence. Les copains continuaient. Je m'esclaffais à tout propos, pour tenter de dissiper le malaise. Je gueulais n'importe quoi à propos des bulles et du reste, et je m'efforçais d'entraîner Violet pendant que les autres, qui s'excitaient de plus en plus, se jetaient des coussins à la figure. On ne parlait plus que rhum-Coca, stades Coca, Coca sans bulles, Coca en bouteille, Coca avec des *nachos*, Coca avec des hot dogs, Coca à la vanille, Coca à la cerise, Coca en distributeur, et des avantages des uns et des autres jusqu'à ce que, finalement, le calme revienne et que Link s'écrie :

– Hé, Marty, tu en as, au moins, du Coca ?

– Non, reconnut-il. Dites, c'est vrai que ça donne soif, non ? Cette discussion sur le goût unique du Coca ?

Chacun se mit à regarder ses pieds. Je déplaçai mes fesses sur le…, l'ottomane, je crois qu'on appelle ça.

– Il n'y a qu'à sortir en acheter, proposa Link.

– Ouais. Allons au magasin.

– Lequel ?

– Il y a un Halt & Buy pas loin, à côté du Sports Giant.

Tout le monde se leva. Marty crut bon de dire :

– OK, sortons nous offrir quelques canettes de cette merveilleuse boisson à la saveur si rafraîchissante, mais nous n'étions plus dans l'humeur et personne ne lui fit écho.

Loga et Calista échangeaient des messes basses. Quand elles aperçurent Violet juste derrière elles, elles changèrent de sujet.

– Oh, dis donc ! s'exclama Calista. Ce sont des sabots Stonewall*? Ils sont extra.

– Ouais, admit Loga.

– Ils ont l'air drôlement confortables, dis donc. Non ?

– Assez, oui. (Loga fit jouer son pied dans l'un de ses sabots fleuris.) J'ai pris du trente-sept, mais j'ai l'impression que c'est plutôt du trente-sept pour homme.

– Ce petit haut vient de la collection Watts**.

– Je m'y perds toujours, dans les émeutes, fit Violet. C'était quoi exactement, celle de Watts ?

Calista et Loga s'immobilisèrent et la dévisagèrent. Je les sentis communiquer par interface.

– Eh bien, une émeute, dit Calista. Je ne sais pas, Violet. Un truc où les gens commencent à briser des

* Association britannique vouée à la défense des droits des homosexuels, connue pour son lobbying auprès des membres du Parlement.

** Quartier noir de Los Angeles. En 1965, un incident entre passants et policiers dégénéra et engendra des émeutes spontanées qui durèrent trois jours, occasionnant de nombreux pillages, trente-deux morts et plus de huit-cent blessés.

vitres, à se taper dessus, et où la police doit intervenir. Une émeute. Tu sais. Une émeute ?

– Oh, je me disais juste que… peut-être… vous auriez pu savoir ce qui l'avait incitée.

– Ah, d'accord, fit Calista.

– Simple curiosité de ma part.

– Ça va.

– J'étais juste…

– Ouais. « Incitée. »

– Quoi ? J'ai n'ai rien dit de méchant, ou d'idiot.

– Non, non. Ça va. Tu viens, Loga ?

Elles repartirent.

Loga dit :

– Prends *ça* dans ton métisabisme.

– Qu'est-ce que ça veut dire, métisabisme ? demanda Calista.

– Oh, pardon. Je me suis dit que, moi aussi, je pourrais employer des mots à rallonge que personne ne comprend.

Calista pouffa et jeta un regard par-dessus son épaule.

– Chut ! Si elle t'entend, elle va nous faire un caromimélo nerveux.

« Oh, mince », me dis-je.

Tu les as entendues ? me lança Violet par interface. *Je ne supporterai pas cela une minute de plus.*

Que veux-tu dire ?

Que tes amies sont des garces. Tu veux bien me raccompagner chez moi ?

Laisse glisser. Laisse glisser. Quelle importance ?

Elles me détestent.

Personne ne te déteste.

Je te dis que si. Tout le monde me prend pour une idiote.

Personne – merde ! – personne n'a dit que tu étais idiote.

Oh, je ne voulais pas dire « idiote » dans le sens « stupide. »

On ne peut pas partir maintenant. Ce serait extrêmement grossier.

Elles viennent de m'insulter.

Mais non.

Ils ont trouvé idiot ce que j'ai dit pendant le jeu. Tout ce que je dis est bizarre ou idiot pour eux. C'est quoi, ton problème ? Ramène-moi à la maison.

– Vous venez ? nous lança Link.

Violet insistait : *Ramène-moi à la maison.*

Merde, pourquoi ? Merde !

Je veux rentrer.

– Non, dis-je à Link. Violet doit... Enfin, elle doit rentrer.

– Tu rigoles ? protesta-t-il. La soirée démarre à peine ! On n'a même pas commencé à vider le frigo dans la baignoire !

– Il faut vraiment que je parte, dit Violet en souriant comme si elle serrait des mains à une foutue réunion de parents d'élèves.

Les autres se pressaient dans leurs aérocars, en

route pour le magasin. Calista faisait des effets de manche avec son coupe-vent « A bas l'OMC ». Violet et moi, on dit au revoir, puis on grimpa dans mon aérocar, avant de décoller.

La dispute pouvait commencer.

Dispute en plein vol

Je descendis le tube principal de la communauté de Marty. C'était une communauté fermée et il nous fallut patienter devant le sas de sécurité avant de pouvoir sortir. Quand il s'ouvrit, je m'engageai dans le tube d'expulsion pleins gaz, afin de clouer Violet au fond de son siège. Et puis, pendant la remontée, je me dis qu'au lieu de la secouer dans tous les sens en volant trop vite, je pourrais afficher plutôt une colère froide comme le faisait mon père, en effectuant chaque geste avec *exactement* la précision requise, au centigramme près.

Donc, je me mis à piloter avec grand soin lorsque nous atteignîmes la surface, au-dessus des bidonvilles agglutinés autour des cheminées de refroidissement. Je pilotais à la perfection. Les autres émergèrent du tube à notre suite et prirent la direction du centre commercial.

Nous volâmes pendant un moment. Il pleuvait.

Les lumières des tours d'usine, très crues, très blanches, nous éclairaient par en dessous. Elles brillaient à travers la fumée, au-dessus des conduites, des réservoirs et des échelles. De nombreux cargos étaient stationnés dans les airs. Je les contournai poliment, en vrai gentleman.

Nous étions trop furieux pour parler. Nos mâchoires grinçaient, *grrrvvv*. Alors, nous engageâmes une discussion par interface.

Elle me dit : *Quoi ?*

Rien.

Quoi, rien ?

Comment ça, quoi, rien ?

Elle dit : *Je peux savoir ce qui te met en colère ?*

J'inspirai à fond, rageusement.

Pourquoi sommes-nous partis ?

Parce que tes amis se moquaient de moi.

Je ne dis rien. Je pensais en moi-même : « C'est ridicule. » Toute cette histoire était ridicule. C'était complètement idiot, et cela me mettait hors de moi.

Violet insista : *Alors ?*

Et moi, comme un imbécile, je répondis : *Eh bien, peut-être que tu pourrais essayer de frimer un peu moins.*

Je frime ? Comment ça ?

Tu sais. En employant des termes bizarres.

Je n'emploie pas de termes bizarres.

En disant des trucs bizarres, si tu préfères.

– Oh, va te faire foutre ! s'écria-t-elle à haute voix. Qu'est-ce que tu veux dire ?

– Tu sais bien. C'est… c'est un truc qui me plaît, chez toi, mais tu devrais… peut-être…

– Un truc qui te plaît chez moi. Quoi, exactement ?

– Oh, je… Écoute, je te trouve drôle, et belle, et…

– Tout le monde est beau. On est tous mignons comme des poupées sous emballage. Ce n'est pas la question.

– Eh bien parfois, tu… comment dire… ? Tu fais peur aux gens. C'est comme si… tu nous observais, comme si tu ne faisais pas vraiment partie du groupe.

– Je n'ai pas les mêmes habitudes que vous.

– J'essaie simplement de te faire comprendre le… l'impression que tu peux donner, parfois.

– Merci pour l'information.

– C'est uniquement pour que tu saches.

– Merci.

Nous volions. Une émission en direct sur *Bandits des airs* suivait l'arrestation de trafiquants de drogue en paravoiles. La réception était parasitée par un signal d'appel insistant. Violet ne se décourageait pas facilement.

J'abaissai ma barrière et pris sa communication.

Tu trouves que je me comporte en garce, hein ?

Tout ça est ridicule. C'est stupide.

Elle regardait par la vitre.

Il y a autre chose, pas vrai ? demandai-je. *Dis-moi ?*

Pas de réponse.

Pendant un long moment, toujours rien.

Il y a quelque chose qui ne va pas ? insistai-je.

Elle se tourna vers moi. Je vis qu'elle luttait pour retenir ses larmes.

– Oui, admit-elle.

Quoi donc ?

– Parle-moi, murmura-t-elle. A voix haute.

Je me mordis la lèvre. J'ai horreur de ce genre de conversation. Je me sens toujours affreusement mal à l'aise. Je dis quand même :

– Bon. Qu'est-ce que, hum... qu'est-ce qui ne va pas ?

Pendant un long moment, nous traversâmes des colonnes de fumée. Elles montaient d'en bas. Elles me faisaient penser aux rangées d'arbres des deux côtés de la rue de Link. Si l'ambiance avait été moins sinistre, j'aurais slalomé entre elles. Elles étaient aussi grises que... je ne sais pas. Elles étaient grises, quoi. Il pleuvait à travers.

– J'ai un gros problème avec mon interface, dit-elle.

– Maintenant, tu veux dire ?

– Tout de suite, je ne crois pas. Mais sinon, oui.

– Va voir un technicien.

– Je l'ai fait. J'en ai vu des tas. Je crois que tu ne... Écoute, j'ai vraiment un gros, gros problème avec mon interface.

– Tu me l'as déjà dit.

– Oh, tais-toi. Je suis allée voir plusieurs techniciens. Mon implant commence à entraîner de sérieux dysfonctionnements.

Elle paraissait effrayée et regardait dans le vague. Elle faisait tout pour éviter de croiser mes yeux.

– J'ai reçu mon interface plus tard que… la plupart des autres gamins. Je l'ai eue vraiment tard, en fait.

– Oui, je sais. Et alors ?

– Le problème c'est que, quand une implantation a lieu après la fin de la croissance, elle ne prend pas aussi bien. L'interface, je veux dire. Elle est plus fragile.

– Fragile ?

– Elle tombe en panne plus facilement.

– Pourquoi ça ?

– Personne n'en sait rien. L'interface est reliée à tout. Aux fonctions corporelles, aux émotions, à la mémoire… A tout. Certaines pannes d'interface peuvent avoir des conséquences fatales. Je ne sais pas. Je risque de perdre… Je ne sais pas. Ils pensaient que mon état se stabiliserait. Mais ce n'est pas le cas. Il empire. Très sérieusement. D'après eux, mon interface est en train de se détériorer.

– Comme si elle rouillait ?

– Non, pas l'implant lui-même, plutôt la connexion logiciel-organisme. Ils disent qu'ils ne peuvent rien… Je ne pleurerai pas. Je ne veux pas pleurer.

Je ne savais pas quoi faire. Je suppose que j'aurais dû passer mon bras autour de ses épaules. Je fis mine d'avancer le bras, mais elle ne semblait pas d'humeur. Elle était tout avachie sur son siège.

Elle poursuivit :

– Ils ne savent pas. Je pourrais perdre la faculté de

penser. N'importe quoi. Elle est reliée à tout. Le système limbique, le cortex moteur... l'hippocampe. Ils m'ont énuméré toute la liste. En cas de grosse panne, elle pourrait interférer avec mes fonctions vitales. Mon cœur pourrait s'arrêter de battre...

Nous volions dans les airs, assis côte à côte. Je ne savais pas quoi faire de mes mains. Je dis :

– Ça craint. Ils ne peuvent pas la débrancher, tout simplement ? Ils l'ont bien fait, sur la Lune.

– Non. Ils nous avaient déconnectés, c'est tout. Ils avaient coupé la plupart des fonctions. Mais l'interface était toujours là. Elle fait partie du cerveau.

Je jetai un coup d'œil dans sa direction. Elle me regardait bien en face. Nous longions les colonnes de fumée. Quelque part au-dessus du Nebraska, les trafiquants en paravoiles étaient abattus en plein ciel.

– Plonge, dit-elle, et ensuite redresse brusquement.

Je fixai la colonne de direction, en me demandant de quoi elle pouvait bien parler.

– J'ai envie de ressentir quelque chose, expliqua-t-elle. Je veux avoir le vertige avec toi.

Je n'y voyais pas d'inconvénient.

Je plongeai vers le sol.

Quand l'aérocar se redressa brutalement, nous piquâmes une bonne suée. Sur le front et au bout des doigts, principalement.

Elle me sourit. Nous avions tous les deux la nausée.

– J'ai les doigts moites, dis-je.

Elle hocha la tête.

Nous volâmes un moment.

Faisons demi-tour, me transmit-elle. *Je me sens mieux, maintenant.*

Non, dis-je. *Tu n'as pas envie de retourner là-bas. Ils se sont mal comportés avec toi.*

Mais non, c'est moi qui étais prétentieuse.

Tu n'étais pas…

– Je vais bien, maintenant.

– On ne peut pas y retourner comme ça, dis-je. Je suis complètement… Je suis… Je ne sais pas. C'est toute cette histoire. Je ne veux pas retourner là-bas. Allons chez toi.

– Il y aura mon père.

– Chez moi, alors.

– D'accord.

Je changeai de direction d'une main. Je lui tendis l'autre. Elle la prit. Nous survolions monticule gris après monticule gris, sur le chemin de la maison.

Tant de choses à faire

En arrivant chez moi, nous entrâmes et je refermai les portes du garage derrière nous. Puis nous montâmes l'escalier pour passer dans la pièce familiale. On pensait regarder un truc à l'interface. On s'assit. Il ne passait rien de passionnant : les conneries habituelles de l'après-midi. Des feuilletons à l'eau de rose avec tous ces acteurs permanentés qui pleurnichaient. Des marionnettes, beaucoup. Des marionnettes qui vous donnaient leur opinion sur tout.

– Je voudrais partir quelque part, dit Violet. Je voudrais... je ne sais pas.

– Que veux-tu dire ?

– Eh bien, il y a le monde entier là, dehors.

– Ouais.

– Je ne suis jamais allée longtemps sous l'eau, par exemple.

– Je suis allé une ou deux fois en vacances dans les grandes profondeurs. C'est chouette. Il y a plein de choses à faire.

– Ce n'était qu'un exemple, dit-elle en m'effleurant le visage.

– Il faut réserver à l'avance. Sinon, si tu y vas comme ça, tu risques l'ivresse des profondeurs.

Elle me caressa le visage.

– Il me reste peu de temps, dit-elle. Il y a tellement de choses que je voudrais faire.

Ce n'était pas un truc évident à dire parce que, à la façon dont elle me caressait le visage, cela pouvait signifier une chose, mais d'un autre côté, cela signifiait probablement autre chose, et ce serait drôlement embarrassant si je me trompais dans mon interprétation. Et si je disais un truc pour m'apercevoir ensuite qu'elle pensait en fait à une balade au Sahara, ou je ne sais quoi ?

Ce serait la honte.

Je dis :

– Tu veux dire... Est-ce que je dois comprendre que... tu sais... nous deux...

Mon interface me glissa : *Vous balbutiez ? Vous ne savez plus quoi dire ? Si vous êtes en manque de reparties, prenez Cyranofeed, disponible à des tarifs défiant toute...*

– Je suis désolée de t'avoir mis mal à l'aise, chez Marty, dit-elle.

– Arrête, tu veux ?

Après une minute, j'ajoutai :

– Ça fait longtemps que tu gardes ça pour toi ?

Elle acquiesça.

– Plusieurs semaines, oui.

– Tu aurais pu m'en parler.

– Non.

– Ça ne servait à rien de te morfondre toute seule.

Elle avait posé les mains dans son giron. Elle soupira.

– Je voudrais aller partout, découvrir le monde. Il me reste tellement... tellement de choses à voir.

– Ouais, dis-je. Ouais. Je ne sais pas. Ça craint. C'est vraiment l'angoisse.

Je ne savais pas quoi ajouter. Nous étions là, côte à côte ; nous étions assis là, et rien n'allait comme il aurait fallu. La discussion était morte.

Je m'accrochai à elle et elle à moi. Nous nous serrions dans les bras l'un de l'autre. Nous fixions le mur en silence.

Elle expira tout l'air de ses poumons.

C'était un drôle d'instant, comme après l'amour, quand on est triste et qu'on a le sentiment que l'après-midi tire à sa fin, même si c'est le matin, ou la nuit. On se détourne de l'autre, qui se détourne également, et on reste allongé là et, quand on se retourne, on ne voit plus que les petits défauts du corps de l'autre. Généralement, il y a comme des ombres de stores vénitiens en travers de nos jambes dans ces moments-là.

– Quand on jette un truc en l'air, dit-elle, on s'attend quand même à ce qu'il retombe.

Ce qui ne voulait strictement rien dire pour moi.

Nous restâmes assis là, perdus dans la contemplation de la cheminée, avec ses fausses bûches et ses faux éléments en fer forgé. Les briques étaient parfaites. Les murs étaient d'une sorte de blanc bizarre.

Puis, la porte d'entrée claqua avec un grand bruit. Maman était de retour avec Boule Puante. Nous échangeâmes une grimace.

Nous nous séparâmes sur le canapé. Boule Puante se rua dans la pièce, arracha ses tennis l'une après l'autre et les projeta contre le mur. Puis il s'écroula sur la moquette et se mit à regarder *Top Quark*. Maman lui criait d'aller ranger sa chambre, mais il ne bougeait pas d'un pouce. Elle avait beau taper dans ses mains et l'appeler par son nom, il continuait à regarder son programme. Sans barrière, de sorte que tout le monde en profitait.

Laisse tomber, Top Quark, jamais je ne gagnerai le premier prix à la foire.

Écoute, Mini Quark, sois un peu plus positif ! Dis-toi que nous sommes tous avec toi.

C'est vrai, Mini Quark !

Ouais, nous allons même chanter une chanson en ton honneur ! Une chanson super chouette, pleine de rires et de joie !

Violet dîna avec nous. Comme mon père était absent, cela se passa mieux que la dernière fois. Elle dit même un truc qui fit rire ma mère, laquelle me glissa par interface qu'elle trouvait Violet formidable.

Il était très tard quand je la raccompagnai.

Il te reste combien de temps ? trouvai-je enfin le courage de demander.

Ils ne savent pas. Avant, ils disaient que ça pourrait prendre des années. Maintenant, ils n'en sont plus aussi sûrs. Ils disent que cela risque d'être beaucoup plus rapide.

Tu en as peut-être quand même pour des années.

Je n'en ai pas pour des années. Cela peut arriver à tout moment.

Je la déposai devant chez elle. Nous ne fîmes aucun projet. Quels projets aurions-nous pu faire ?

Je passai le restant de la nuit à faire mes devoirs. C'était la seule idée qui m'était venue à l'esprit.

… extrait de Waouh & Plucky, *sur Christian Cyberkids Network :*

– … Tu sais, p'pa ? Je me dis toujours qu'elle va revenir mais, au fond, je sais bien qu'elle est partie pour de bon.

– Ouais. C'est vrai que ça commence à faire un bail. Je me demande de quoi elle aurait l'air aujourd'hui… Son poil a dû beaucoup pousser.

– C'était la meilleure des chiennes. Si elle revenait, tout rentrerait dans l'ordre.

– Billy, c'est impossible que tout rentre dans l'ordre. C'était une brave chienne, mais ce n'était pas une super-chienne, avec des pouvoirs et tout le reste. Je crois que si tu écoutes bien, tu entendras une petite voix au creux de ton oreille qui te dira exactement la même chose.

– Je vais quand même continuer à lui laisser des croquettes à côté de la boîte à lettres, et lui chanter sa…

La plage

Nous partîmes à la mer parce que, après l'École™, il ne nous restait plus assez de temps pour une excursion sous-marine. On avança jusqu'au bord pour pouvoir l'admirer. La mer était d'huile, mais colorée.

Elle était bleue sous un certain angle, pourpre sous un autre, parfois jaune ou verte. Nous portions des combinaisons pour ne pas respirer ses vapeurs.

On s'assit sur le sable. Je m'étendis, bras et jambes écartés. Violet m'entassa du sable sur le ventre. Nos combinaisons étaient orange vif. J'ai horreur de ces tenues grotesques qui vous donnent l'air complètement débile. Quand elle eut fini de jouer avec le sable et moi de faire l'ange, nous fixâmes le ciel.

Je ne crois pas qu'il faille s'inquiéter, fis-je. *Avec la science, tu sais, il y a toujours de nouvelles découvertes.*

Mais oui. Tu as vu l'aspect de la mer ?

Toi, tu as encore lu d'autres articles à la noix.

Tout est mort. Ou en train de crever.

Quelques aérocars filaient entre les Nuages™. Quelques cargos. Quelques aiguilles de transit en route pour la Norvège, le Japon ou je ne sais où.

Je m'assis. J'en voulais à la terre entière.

Tu sais ce qu'il y a de plus drôle ? dis-je. *Ce type, le pirate ? Tu tiens le même discours que lui. Il t'a bousillé la cervelle, et tu tiens le même discours que lui.*

Ben voyons, dit-elle. *Et c'est ce qu'il y a de plus drôle.*

Pourquoi te sens-tu obligée d'être sarcastique ?

Parce que je me fais avoir sur toute la ligne.

Tu vois ? Tu es totalement négative.

Parce que j'ai des raisons d'être positive ? Mon corps est en train de m'échapper. Tu as vu ce qui est arrivé à mon pied – eh bien, cela se produit de plus en plus souvent. Parfois c'est un doigt, ou une moitié de mon visage, qui se fige complètement. Cela m'arrive pratiquement tous les jours, maintenant, pendant dix ou quinze minutes. Des fois pendant des heures.

Oh, merde. C'est vrai ? Oh, merde.

Et je ne reçois plus systématiquement toutes les images qui sont censées me parvenir. Je reçois beaucoup de messages d'erreur.

Ça, ils doivent pouvoir le réparer.

Je n'en sais rien. Je n'en sais vraiment rien.

Je décochai un coup de pied dans le sable. Je me tournai vers elle. Elle avait l'air en forme, derrière le masque, derrière ses grosses lunettes de soleil qui renvoyaient des reflets bruns et mauves.

Tu sais, je..., commençai-je.

Quoi ?

Je t'aime beaucoup.

Elle me donna une petite tape sur l'arrière du crâne.

Ça ira, dit-elle.

... à Crackdown Alley... en exclusivité sur la Fox...

Tu le lui as donné ?

Va te faire foutre.

Est-ce que tu le lui as donné ?

Pour qui me prends-tu ?

Tu veux vraiment que je te le dise ?

*Ne me souffle pas ton haleine à la gueule.
Va empester quelqu'un d'autre.*

J'empesterai qui je veux.

Je ne lui ai rien donné.

Tu me prends pour qui ?

Elle ne l'a pas.

Va te faire foutre.

Ne me souffle pas ton haleine à la gueule.

Tu le lui as donné ?

Tu veux vraiment que je te le dise ?

Tu me prends... ?

Lundi, en arrivant à l'École™, alors que je rejoignais les autres dans la salle d'accueil, je remarquai que Calista avait relevé ses cheveux selon une nouvelle coiffure qui lui découvrait entièrement la nuque. Et sur sa nuque s'étalait la lésion la plus abominable que j'avais jamais vue. Je devais la dévisager, l'air de penser : « Bon sang ! » car Quendy vint s'asseoir à côté de moi et me dit : *Impressionnant, hein ? C'est une fausse.*

Elle en voulait toujours à Calista, à cause de Link.

Comment ça ? demandai-je.

Elle se l'est fait poser hier. Quendy plissa le nez. *Les lésions sont « tendance », maintenant. C'est la dernière mode.*

Elle est énorme. Mince, elle est énorme.

C'est une fausse. Je veux dire, il y a bien une incision, mais artificielle. Elle ne suinte même pas. Ce sont des gouttes en latex.

Waouh ! On dirait que sa tête va dégringoler d'un coup, tu sais : ta-daam !

C'est tellement ridicule. Mon Dieu. Je n'arrive pas à le croire.

Link arriva et embrassa Calista sur le front. Dans le même temps, sa main s'aventurait derrière son crâne et chatouillait sa lésion.

Beurk ! fis-je en agrippant Quendy par le poignet. *Bon sang, c'est – yeurk ! – message d'erreur fatale. Erreur système majeure !*

Grotesque. Je n'arrive pas à croire qu'il craque pour ce genre de truc. C'est tellement crétin.

Il faut absolument que je raconte ça à Violet. Elle va sauter au plafond.

Ouais.

Elle qui guette toujours le moindre signe de déclin de la civilisation.

Ouais.

Je me tournai vers Quendy. *Qu'est-ce que tu veux dire ?*

Rien. Simplement qu'elle est... comme tu dis, toujours à l'affût du déclin, la civilisation marchant sur la tête, et tout ce qui va avec.

Ça te pose un problème ?

Aucun. Je la trouve gentille.

Je vais l'appeler pour lui raconter ça.

Ouais. Vas-y. Elle va bien rigoler.

Je contactai Violet. *Tu es assise ?* dis-je. *Calista porte une lésion artificielle.*

Ça y est, je peux dire adieu à mes corn flakes.

Link est en train de lui chatouiller la plaie.

Laisse-moi juste repousser mon bol vers le mur.

Juste pour que tu sois au courant.

Link est un garçon extra, mais... Enfin, je ne veux pas être méchante, mais ce n'est pas le lapin le plus rapide de la centrifugeuse.

Non. Ça, c'est sûr.

Je ris.

Est-ce que je t'ai dit que je l'ai trouvé craquant la première fois que je l'ai vu ?

Link ? Notre Link ? Il est moche comme un pou.

C'est ça qui me faisait craquer. Vous étiez tous tellement beaux. Lui était affreux. Ça lui donnait, je ne sais pas, une sorte de profondeur.

Tu plaisantes ?

Jusqu'à ce qu'il ouvre la bouche.

En ce moment, lui et Marty sont en train de sauter à la corde avec un bout de câble coaxial. Ah, il trébuche. Il vient de s'étaler sur un pupitre.

J'adorais discuter avec elle dès le matin. C'était un peu comme si on se réveillait ensemble, une sorte de flirt à moitié comateux.

Je peux te poser une question à propos de Link ? demanda-t-elle.

Vas-y !

Son nom. Link, « le chaînon ». C'est pour chaînon manquant ?

Non, dis-je.

Alors pour quoi ?

Il vaut mieux que tu l'ignores. Ça ne va pas apaiser tes craintes – tu sais, concernant le déclin de la civilisation et tout ça.

Hein ?... Oh, mon Dieu. Oh, mon Dieu... C'est un truc en rapport avec son pénis, c'est ça ?

Non.

Si, c'est ça. Une bonne allusion bien grasse, bien vulgaire, comme vous en écrivez sur les murs des toilettes. C'est ça, hein ? Avoue.

Non, je t'assure.

Mais si.

Mais non. Il est issu d'une expérience gouvernementale.

Quoi ?

Ses parents sont très vieux et très, très riches, tu vois ? Alors, ils ont voulu... tu sais...

Quoi ?

Il a été cloné à partir des taches de sang relevées sur le manteau que Lucy Todd Lincoln portait à l'opéra.

Il y eut un long silence.

Mary, rectifia machinalement Violet.

Ouais, si tu veux. Mary Todd Lincoln.

Alors, ce serait le clone génétique d'Abraham Lincoln.

Ouais.

Abraham Lincoln.

C'est ce que j'ai dit.

Décris-moi ce qu'il est en train de faire en ce moment.

Heu... il danse le limbo. Sous le câble coaxial.

Cherchez l'erreur.

Sauf qu'il se penche en avant plutôt qu'en arrière, ce qui est quand même plus facile.

Quelle pitié.

Et chez toi, comment ça se passe ?

Donne-moi une minute pour me remettre.

Quel est le programme, ce matin ?

Papa est parti travailler. Maman n'est plus qu'une silhouette en creux dans la porte d'entrée. Et moi, je mange mes céréales, j'enfile mes collants et je lis d'anciennes invocations mayas.

Tu parles le maya ?

Elles ne sont pas en maya mais en espagnol. L'interface me les traduit en anglais. Je suis en train d'en lire une consacrée à la sauvegarde des cultures en péril.

Hum...

Rédigée peu de temps avant la chute de leur empire, à mon avis. « Esprit du Ciel, esprit de la Terre, accorde-nous une descendance aussi longtemps que le soleil poursuit sa course, aussi longtemps que l'aube succède à l'aube. Accorde-nous des routes verdoyantes ; accorde-nous de nombreux sentiers verdoyants. Que les hommes vivent en paix, et qu'ils ne succombent pas ; qu'ils ne soient pas blessés. Qu'il n'y ait pas de disgrâce, pas de captivité. Ô toi, Gloire voilée, seigneur du Tonnerre, seigneur Jaguar, Montagne de Feu, Matrice du Ciel et de la Terre. Que notre peuple connaisse éternellement des jours nouveaux, des aubes nouvelles. » Et ça se termine par : « Ô roi Une-Jambe, toi le Verdoyant. »

Roi Une-Jambe.

Amen, mon frère.

Link et Marty sont en train de se fabriquer un lasso avec le câble coaxial.

Pas possible ?

Calista se brosse les cheveux. Elle sursaute chaque fois qu'elle effleure le bord de sa lésion.

Je suis drôlement contente d'être scolarisée à la maison.

Il y a une fête vendredi soir. Tu veux venir ?

Est-ce qu'ils me détestent ?

Mais non. Quendy m'a encore répété tout à l'heure qu'elle te trouvait gentille.

Vous parliez de moi.

Ne t'en fais pas.

Je ne m'en fais pas. Ils me détestent, hein ?

Ils te trouvent adorable.

Bon, d'accord. Je ne vais pas rester cloîtrée toute ma vie.

Exactement.

Je viendrai.

Super.

Tu passeras me prendre ?

Bien sûr.

Quelle heure est-il ? Tu vas devoir me laisser ?

Ouais. C'est l'heure des annonces.

Je fais les miennes toute seule. Dans la poubelle, pour entendre l'écho.

Pas bête.

J'annonce que je suis demandée à la cuisine, par exemple.

Pas mal !

Ensuite, je tourne en rond en attendant que je vienne. Je m'attends dans la cuisine, tu vois ? dit-elle. *J'attends encore et encore, mais je n'arrive jamais.*

... les vingt conseils sexy du mois à l'intention
des filles.

Hé ! Vous voulez faire tourner la tête à votre
petit ami ? Alors, écoutez un peu ce que Lucia,
notre conseillère sentimentale, pense des jeunes filles
et de leurs jeux amoureux !

Natalie, du New Jersey, nous écrit : « Mon mec,
il dit toujours, pas de crac-crac dans les fêtes ! Mais moi,
je trouve que pour contribuer un minimum à l'ambiance
de la soirée, il faut bien... »

... pour laquelle je vous pose la question.
Réfléchissez : les États-Unis ont joué un rôle capital
dans le renversement de dictatures abominables.
Nous distribuons chaque année des milliards
de dollars d'aide aux pays étrangers. Nous soutenons
les économies défaillantes. Nous recueillons
les malheureux qui débarquent sur nos côtes.
Nous essayons de faire ce qui est juste.
Nous essayons de faire ce qui est...

Les yeux de l'espoir

Vendredi, je suis passé prendre Violet chez elle comme convenu. J'espérais que la soirée lui remonterait le moral.

Je commençais à connaître la route et je voyais avec plaisir défiler les antennes, les glissières, les prises d'air, dont mon interface me soufflait les noms au fur et à mesure – *tour d'observation de Charming Lawn ; colonne d'échappement de Riverdale ; Institut d'études psychoéconomiques ; terrain de jeu et centre de compulsion de Bridgeton...* Depuis le temps, je les connaissais par cœur ! Chaque fois que l'une d'elles disparaissait sous mon aérocar, j'avais le sentiment de me rapprocher de Violet, comme d'un paquet-cadeau dont j'ignorais le contenu.

Tandis que nous volions vers la soirée, elle me parla des drôles de choses qu'elle avait lues à l'interface, en jouant à résister. Elle me parla de papillons à écailles et d'animaux qui vivaient dans les conduits, parfois en troupeaux entiers. On pouvait les entendre piétiner à l'intérieur des murs. Il existait aussi de nouveaux types de champignons, dit-elle, qui formaient de véritables jungles entre les câblages. Et des limaces si grosses qu'un nourrisson pourrait les monter en amazone.

– La nature s'adapte tellement vite, dit-elle. A se demander ce qui est naturel et ce qui ne l'est pas.

Quand nous arrivâmes, les gens avaient déjà commencé à boire et la fête battait son plein. Quelqu'un faisait le DJ et diffusait des chansons sur l'interface. Nous nous branchâmes avec les autres, sans quoi nous n'aurions entendu que le frottement de leurs pieds contre le sol. J'ai la chance de posséder une bonne connexion audio avec mon interface, de sorte que je reçois toujours un excellent son. C'est plus agréable pour danser. Nous allâmes nous servir à boire et dire bonsoir à tout le monde. L'interface diffusait cette chanson : « *J'ai des pieds, des pieds qui ont intérêt à marcher. Marchez, mes pieds, marchez de tous vos orteils, je marche avec mes pieds* », et on se mit à danser. C'est une danse qui part des hanches, avec les coudes qui traînent, et c'est ce qu'on fit, ça allait bien sur cette musique.

Tout se déroulait plutôt bien jusqu'à l'arrivée de Quendy. A son entrée, on n'entendit plus que – *silence... wwwhhh (brise)... wwwhhh... ploc (goutte d'eau)* – parce qu'elle était couverte de la tête aux pieds de lésions artificielles.

Tout le monde la dévisageait. Elle en avait partout.

Elle leva les bras. Les entailles ressemblaient à des yeux. Elles s'écartaient et rougissaient à chacun de ses mouvements.

– Vous aimez ? demanda-t-elle en riant. On me les a posées hier.

– Tu, heu..., balbutia Marty, tu es couverte de coupures.

– Ce ne sont pas des coupures, dit-elle en souriant comme s'il était idiot. C'est le dernier cri. Pour ton information, cela s'appelle du *birching** et ce sont des lenticelles.

Marty, Link et moi échangions par interface :

Bon sang.

Ouaip.

Comme tu dis.

Violet se cachait le visage dans les mains.

Les gens se remirent à danser.

Je voyais Calista et Loga communiquer furieusement par interface. Les gens dansaient, l'interface clamait : *Je fais des petits, petits pas. Loin de toi. A petits, petits pas. Je m'éloigne de toi.* Quendy s'approcha de la table des boissons et se servit de la vodka avec du Tang. D'autres filles la rejoignirent et elles se mirent à discuter.

Violet se tenait juste à côté de moi. *Je n'arrive pas à croire qu'elle ait fait cela.*

Tout ça, c'est pour Link, dis-je. *Je suppose qu'elle a voulu frapper plus fort que Calista.*

Tu imagines un peu combien ça a pu coûter ?

Aucune idée.

Il a fallu plastifier chacune de ces incisions.

Ouais. Ça a dû lui coûter un paquet.

C'est la fin. La fin de la civilisation. Nous sommes au bord du gouffre.

* Flagellation.

*Non, je ne crois pas que ça aura beaucoup de succès.
Les lenticelles.*

*J'espère juste que mes gamins ne connaîtront pas les
derniers jours. Les incendies partout et les gens terrés dans
les caves.*

Violet.

*La seule chose qui me fait encore plus peur, ce serait de
nous voir continuer ainsi éternellement.*

Je me tournai vers elle. Elle ne plaisantait pas. Son
visage était creusé de rides.

Violet, dis-je. Je lui pris la main. Il me venait une
idée. *Laisse-moi te montrer quelque chose.*

Elle ne répondit rien, ni par interface ni à voix
haute. Nous échappâmes à la cohue pour monter
l'escalier. Les portes des chambres étaient fermées. Je
l'entraînai au bout du couloir, jusqu'à la trappe du
grenier. J'attrapai le truc, la tirette, et l'échelle d'accès
descendit. Je montai le premier. L'éclairage n'était
pas commandé par interface, il se composait d'une
simple ampoule reliée à une ficelle. On tirait la
ficelle, et la lumière s'allumait.

Toutes sortes de vieilleries s'entassaient sous les
combles. Violet me rejoignit en haut. Nous avan-
çâmes, à pas prudents. Les planches grinçaient sous
nos pieds.

Nous venions souvent ici, autrefois, dis-je. *Nous
jouions aux sardines dans la boîte. Il y en a un qui se
cache, tous les autres le cherchent et ceux qui le trouvent
se cachent avec lui. C'était le meilleur endroit, parce que*

seuls les meilleurs amis de Link le connaissaient. Nous montions ici, tous ensemble, pendant que les autres nous cherchaient en bas. Nous les entendions fouiller partout, c'était à pisser de rire.

Quand je me cachais ici, je pensais souvent à l'époque où j'étais plus petit, enfin, plus jeune, avant de devenir vraiment copain avec Link. Je repensais à ces moments où tu cours dans toutes les pièces, où tu croises des gens dans les couloirs, comme dans ces dessins animés où les personnages entrent par une porte et ressortent par une autre. Et tu les croises sans les voir, tu cherches partout, dans la buanderie et ailleurs, et le jeu continue, tout le monde rigole. Et, brusquement, tu ne vois plus personne.

Tu te retrouves à marcher tout seul dans les couloirs. C'est un drôle de moment, tu sais, quand tu prends conscience que tu es seul, que tu n'as croisé personne depuis un moment. Tu t'aperçois que l'instant précis où tu t'es retrouvé seul est déjà passé. Alors tu arpentes cette grande maison vide, où toutes les serviettes sont soigneusement pliées mais où le savon est encore humide au bord du lavabo. C'est ça le plus effrayant.

Elle s'assit sur un vieux machin.

Je continuai mon histoire : *Tu marches, tu marches dans la maison vide, mais le plus étrange, c'est que tu sais qu'elle n'est pas vide. Tu es complètement seul, et pourtant, tu sais que les autres sont en train de penser à toi. Ils sont là, quelque part, à retenir leur souffle, à suivre tes moindres déplacements, à guetter le bruit de tes pas ou des portes que tu ouvres ou que tu fermes. Tu es seul, mais plus surveillé que jamais. Et ça peut continuer des heures et des heures, toi qui erres à travers les pièces, à fouler les tapis, à ramasser tel ou tel objet pour le regarder, seul, mais au centre de toutes les attentions, jusqu'à ce que Link finisse par en avoir marre et déclare que le jeu est terminé.*

C'est exactement ça, dit-elle en applaudissant.

J'ignorais de quoi elle voulait parler, mais je hochai la tête.

Elle se frotta les yeux avec les paumes de ses mains. Je l'observai. Elle se leva et brossa la poussière sur ses fesses.

Elle regarda autour d'elle, et ramassa différents objets. *Qu'y a-t-il dans ce fouillis ?*

Des vieux trucs, dis-je. *Rien que des vieux trucs.*

Je m'approchai d'un mur. *Il y avait quelques croûtes par là.* Je les sortis de sous la pente du toit. *Des tableaux.*

Elle me rejoignit.

Waouh !

Nous les examinâmes. Des vaisseaux en mer. Des portraits d'autrefois, peints sans sourire ni rien, habillés de noir, tenant des papiers enroulés ou de gros livres. Des ancêtres de Link morts depuis long-temps. Ils avaient des prénoms d'autrefois comme Abram, Jubilee, Noah, Ezekial ou Hope.

Jubilee fronçait les sourcils. Ezekial avait le visage grêlé par la vérole.

Hope – Espoir – était une grosse vieille avec un

petit chien. Elle regardait d'un côté, comme si une personne qu'elle attendait depuis longtemps venait de l'appeler par son nom.

Notre contribution à la soirée

En redescendant, nous passâmes de nouveau devant les chambres. La soirée commençait à s'animer. Les portes étaient ouvertes désormais et, sur plusieurs lits, il y avait des couples en train de se peloter tandis que, sur d'autres, certains boguaient, bras et jambes agités de tressaillements, secouant la tête d'avant en arrière. Un gars avait dégueulé dans un bureau à cylindre et tâchait de le refermer pour dissimuler les traces. Un bras dépassait de sous un lit, bougeant en cadence comme s'il dirigeait un orchestre symphonique. Violet se rapprocha et je la pris par les épaules. Mais elle était toute raide, comme si elle n'avait pas envie qu'on la touche. En gagnant le palier, nous entendîmes des embrassades et des hourras qui provenaient d'en bas.

Au rez-de-chaussée, ils étaient tous assis en cercle et jouaient à Sur-qui-va-tomber-la-bouteille ? comme des gamins. Je vis le dos de Violet s'affaisser devant moi pendant qu'elle descendait les marches. Je me sentais tout drôle, c'est difficile à expliquer, comme si l'air était empli d'une sorte de brume anesthésiante.

Link nous lança :

– Hé, venez vous asseoir et jouer avec nous. On se marre bien.

– D'habitude c'est pour les gosses, admit Loga, mais là, c'est plutôt sexy.

– Sauf que ma lésion me fait souffrir le martyre, geignit Calista. Vous parlez d'une idée à la noix.

– Je n'ai fait tourner la bouteille qu'une fois, annonça Quendy, mais je suis bien tombée.

Elle se tortilla sur la moquette. Marty avait les yeux rivés sur ses fesses, ainsi que sur ses omoplates, où les chairs apparaissaient à travers les fentes de son épiderme ; on les voyait bouger tandis qu'elle embrassait cet abruti de Ches Machintruc.

Violet et moi prîmes place. Il était clair qu'elle n'avait pas envie de jouer. Nous n'étions pas les suivants, ce qui valait aussi bien, mais j'espérais que la bouteille ne s'arrêterait pas sur elle car je craignais que, cette fois, elle pique une colère. Assis en tailleur, le menton appuyé sur le poing, je restais assis là, fusillant la bouteille du regard pour lui ordonner de continuer à tourner.

Quand ce fut le tour de Quendy, la bouteille s'immobilisa devant Link et je me dis : « Oh, merde. » Elle était ravie. Elle se pencha vers lui, pendant que tout le monde huait et sifflait, et il fit mine de l'embrasser sur la joue, très chastement. Mais elle posa la main sur sa joue et lui tourna la tête pour l'embrasser en plein sur la bouche, puis elle referma les bras autour de son cou. Il y eut un silence général, du genre : « Oh, mince alors », pendant qu'ils s'embrassaient. Link essayait de se dégager, mais sans oser vraiment repousser Quendy, à cause des lésions qu'elle avait partout. Calista les fixait tous les deux, les yeux remplis de haine.

Link finit par basculer en arrière et se rassit tant bien que mal à côté de Calista. Nous étions tous affreusement gênés, sauf Marty.

Hé, fit Marty aux autres garçons, *vous ne trouvez pas que Quendy est super ?*

Ta gueule, répondit Link. *Joue.*

Personnellement, je trouve qu'elle a l'air grotesque, dis-je.

Elle a un look d'enfer, protesta Marty. *Moi, j'aime bien.*

Ah oui ? Ça te plaît vraiment, d'apercevoir ses muscles, ses tendons, ses ligaments et je ne sais quoi à travers ses lésions ?

Ouais, ça me fait penser à tout ce qu'il y a d'autre à l'intérieur. C'est très sexy.

– Je parie que vous êtes en train de vous extasier sur le nouveau look de Quendy, dit Calista sur un ton qui n'annonçait rien de bon.

– Oui, reconnut Marty. Nous disions que… que ses lésions étaient très jolies.

– Oh, fit Quendy. Tu aimes mes lésions ?

– Bon, on joue ou quoi ? demanda Link.

– Moi, je les trouve très drôles, dit Calista tout en ayant l'air de penser exactement le contraire.

Link relança la bouteille. Pendant qu'il embrassait, du bout des lèvres, la fille que le sort lui avait désignée, Calista continuait à s'adresser à Quendy de cette voix menaçante :

– Et ne laisse personne te dire que tu as l'air stupide.

– Personne n'est stupide, dit Marty.

– C'est vrai, Quendy. Parce que, montrer ainsi ce que tu as en toi, au plus profond des tripes, c'est tellement sexy !

– Calista, fit Quendy pour tenter de désamorcer la situation, nous sommes en train de passer un bon moment, là.

– C'est chouette, dit Calista.

Ce type, Ches Machintruc, fit tourner la bouteille et tomba sur Loga. Il marcha jusqu'à elle et lui lança :

– A nous deux.

– Quendy, sais-tu ce qu'il y a de drôle avec tes lésions ?

Loga et le Ches en question s'embrassèrent, franchement. Ils en rajoutaient un peu, peut-être pour faire oublier la dureté qu'on sentait dans les paroles de Calista. Loga passait les mains dans les cheveux de Ches. Ses doigts étaient luisants de gel.

Calista insistait :

– Hein ? Avec tes lésions ? Ce qu'il y a de drôle,

c'est de voir une fille tellement désireuse de piquer le petit ami de son amie qu'elle s'inflige un truc parfaitement stupide.

Un silence pesant s'installa. Puis Marty dit :

– Bon, écoutez, on joue, d'accord ? On joue.

Il fit tournoyer la bouteille. Le col lançait des éclairs, et soudain j'entendis Quendy se mettre à pleurer tandis que la bouteille s'arrêtait sur Violet. Marty se leva, lissa les plis de son pantalon et s'approcha d'elle.

– Hé, à nous, ma jolie, dit-il. Faisons ça bien.

Il tendit la main vers elle. Elle recula. Il posa la main sur sa tête.

– Ce n'est pas drôle, intervins-je.

– Laisse-nous te montrer, fit Marty en m'adressant un clin d'œil.

– Arrête, dit Violet en se levant à son tour. Arrêtez, tous.

– Qu'y a-t-il ? demanda Marty.

Il tendit la main vers son bras. Il l'attrapa par le poignet.

Violet était blanche comme un linge. Elle tremblait. Sa tête vacillait sur son cou de manière incontrôlée. Elle se mit soudain à hurler :

– Vous voulez que je vous dise ce que je vois ? Vous voulez que je vous le dise ? Nous sommes en train de flotter dans les airs pendant que des gens meurent de faim. C'est criant ! Criant ! Nous jouons à des petits jeux pendant que notre peau s'effiloche.

Nous partons en lambeaux, et nous en faisons une mode. Et vous parlez – vous commencez à parler en *sizains*! Vous m'entendez? En sizains! Compris? Alors, arrêtez! Merde! On doit tous arrêter!

Elle hurlait.

Les autres la fixaient et discutaient par interface, mais pas avec moi, sauf Link, qui me jeta sèchement: *Qu'est-ce qui lui prend? Règle ça!* avant de rompre le contact.

Violet hurlait:

– Regardez-nous! Vous croyez que l'interface nous alimente, mais c'est nous qui l'alimentons! C'est nous! Elle nous vampirise! Nous ne sommes que du carburant pour elle! Voyez ce que nous avons fait de nous! (Elle pointa le doigt sur Quendy et poursuivit:) Regardez ce monstre! Car c'est un monstre! Couvert d'entailles! Une créature!

Je tentai d'intervenir:

– Violet, arrête! Violet! Elle n'est pas – ce n'est pas un foutu monstre. Elle...

Mais Violet hurla de plus belle:

– TOI AUSSI, VA TE FAIRE FOUTRE! TOI AUSSI!

Elle essaya de me gifler mais je l'empoignai par le bras. Elle voulut me griffer au visage, mais sa main refusa de lui obéir.

Quelque chose se brisa en elle, ses jambes se dérobèrent et – oh, merde – je dus l'attraper pour qu'elle ne tombe pas. Elle tremblait, roulant des yeux vitreux, incapable de prononcer un mot de plus...

Elle s'étouffa.

Je la pris dans mes bras et m'efforçai de la redresser. Un long filet de bave coulait de sa bouche. Ses jambes décochaient des ruades. Elle était brisée. Complètement brisée.

Je pleurais, je demandais qu'on appelle une ambulance tandis que les autres disaient : *Bon sang, elle est en train de boguer ? Si elle se paie un bogue, on aura tous des ennuis !* Et moi : *Appelez une ambulance !* J'essayai bien de le faire moi-même mais au milieu de cette confusion, je n'arrivais pas à placer mon appel. Sa respiration reprit, normalement, mais elle était toute molle, et je l'allongeai sur le sol pendant que Quendy criait à son corps inerte : «Va te faire foutre ! Va te faire foutre ! » Violet respirait à grandes bouffées, maintenant, mais ses paupières restaient closes, et je me penchai sur elle en lui pressant la main, encore et encore.

J'ignore ce que firent les autres. Il y eut des bruits, puis des femmes arrivèrent.

Je partis avec elles. Mon interface me parlait promotions, me glissait toutes sortes de suggestions à propos d'avocats médicaux, de poursuites judiciaires pour négligence, il se passa quelque chose et je me retrouvai assis à côté d'elle dans l'ambulance. Et soudain, je me dis : « La fête est finie, bon sang. La fête est finie. »

Quatrième partie
Torpeur

52,9 %

La salle d'attente était blanche. Des sphères remplies de fluide passaient et repassaient dans les couloirs.

— Il va falloir attendre un peu, annonça l'une des infirmières.

Elle porta la main à son visage. Elle avait le petit doigt en l'air. Elle se toucha la joue, comme si elle avait mal à une dent.

Elle dit :

— Il y en a encore pour un moment.

— Tu veux que je te raconte une histoire ? me proposa une femme assise sur la chaise voisine.

— Il est à cran, dit l'infirmière. (Elle redressa ses cheveux, qui tenaient grâce à deux baguettes magiques.) Détends-toi, mon garçon. Elle ne va pas si mal.

— Quoi ? dis-je. Qu'est-ce que vous voulez dire ?

— Le médecin t'expliquera lui-même.

– Il était une fois… commença ma voisine.

– Quand doit-il arriver ? demandai-je.

– Oh, il est déjà là.

– Où ça ?

– Dans la chambre, avec ton amie.

– Mais quand va-t-il sortir ?

Elle soupira.

– Essaie de reposer tes yeux.

Je fis les cent pas à travers la salle. L'interface me balançait son baratin. Je lui prêtai l'oreille, tout en suivant machinalement les motifs du carrelage.

… on ne saurait imputer les faibles chiffres de vente de la Ford Laputa sur le marché latino-américain à son seul…

… plus délirante comédie en prime time *du moment. Que se passe-t-il quand deux garçons ordinaires et deux filles ordinaires se rencontrent dans leur restaurant diététique favori ? Des surprises en pagaille et des rires en cascade, voilà ce que…*

Je marchais. Je faisais le tour des chaises. Je slalomais entre elles. Des hommes attachés à l'intérieur de roues géantes, bras et jambes écartés, traversèrent le hall. Des infirmiers en blouse blanche les faisaient rouler devant eux en sifflotant. Les hommes écartelés regardaient autour d'eux, la bouche ouverte, en écarquillant les yeux mais sans remuer d'un pouce. Ils se contentaient de regarder défiler le monde, impuissants, en tournant sur eux-mêmes à l'infini.

Le père de Violet arriva une demi-heure après moi. Il me dépassa en courant. Je ne fis rien pour lui signaler ma présence, parce que je ne voulais pas m'imposer. Parfois, les gens ont besoin de rester seuls. Il passa sans me reconnaître. Ce n'était pas grave. On le fit entrer dans la chambre. Je patientai.

Je tapai doucement dans mes mains, deux ou trois fois. Je laissai pendre mes bras contre mes flancs avant chaque frappe. Je me rendis compte que j'écartais les bras à fond. Les gens me regardaient. J'arrêtai. Je ne pus m'empêcher de taper dans mes mains, légèrement, une dernière fois.

Il ressortit. Il marchait très lentement. Il s'assit.

Je ne savais pas trop si je devais aller lui parler. Il était en train de lisser les plis de son costume.

Je m'approchai. Je lui dis bonjour, et me présentai de nouveau.

– Ah, oui, dit-il. Bonjour. Merci pour…

Il hocha la tête, sans terminer sa phrase.

– Elle est OK ? demandai-je.

– Oui. « OK. » Oui, elle est « OK. »

Il semblait très différent de la dernière fois.

– Que s'est-il passé ?

– Ils sont en train de réparer la panne. Pour le moment. Le médecin va bientôt sortir.

La lueur de ses lunettes d'interface lui faisait des yeux orange.

Les sphères passaient. Nous attendions. Deux infirmières discutaient de leur week-end. Il n'y avait rien que j'avais envie de regarder à l'interface. Je me sentais d'autant plus las.

– Tu veux bien arrêter ? me dit son père.

Je me rendis compte que j'avais recommencé à taper dans mes mains.

– Ça me porte sur les nerfs, s'excusa-t-il.

J'enfonçai les mains dans mes poches. Je me tins immobile, debout devant lui.

– Tu peux surveiller son niveau d'interface, me dit-il. (Il me fit parvenir une adresse.) Va là. Si les fonctions neurales se rétablissent correctement, le chiffre indiqué devrait tourner autour de 98 %.

Je me rendis à l'adresse. C'était une sorte de site médical. On y lisait, *Violet Durn, Rendement d'interface : 87,3 %*. Il me fixa. Je le fixai. Nous restions là, sans bouger. Le rendement grimpa à 87,4 %. Il détourna la tête. Quelqu'un sifflotait deux notes au bout du couloir.

Violet n'était pas une garce. Elle ne pensait pas vraiment ce qu'elle avait dit. C'était à cause de la panne. Elle n'était pas elle-même à ce moment-là. Je me le répétais jusqu'à plus soif.

Mais peu importait que ce qu'elle avait dit soit vrai ou non. Le plus grave, c'était qu'elle l'ait dit en particulier à Quendy, qu'elle l'ait traitée de monstre, en hurlant comme ces filles en noir, à l'école, qui s'assoient par terre dans la cave et déblatèrent à propos de la Terre, qui se font poser des rivets dans les yeux pour passer pour des dures. Je voulais que Violet redevienne comme avant, normale, une fille gentille qui me caressait le visage.

– Elle est réveillée, vint annoncer une infirmière. Si vous voulez entrer...

Elle avait demandé son père. Pas moi. Je restai là, debout. Il se détourna et entra dans la chambre.

Après un moment, il sortit et retourna s'asseoir.

– A toi, maintenant, me dit l'infirmière.

Je la suivis à l'intérieur.

Violet était installée dans un fauteuil flottant avec des câbles partout. Certains lui rentraient dans la tête.

Elle détourna les yeux en me voyant.

– Je suis désolée, dit-elle.

Nous restâmes ainsi un moment. Une fois de plus, elle se retrouvait en simple blouse d'hôpital. Comme sur la Lune, lorsque nous avions appris à nous connaître.

– J'ai dit que j'étais désolée, insista-t-elle.

Craignant d'envenimer les choses, j'essayai de deviner ce qu'elle souhaitait m'entendre dire :

– C'est juste que... Je me fais du souci pour toi.

Elle haussa les épaules. Je l'étudiai. Je me demandai à quel point elle était proche de la personne qui avait pété un câble à la soirée.

– Qu'a dit le médecin ? demandai-je.

– Je vais bien. Pour l'instant.

Elle se tenait la rotule. Elle la faisait bouger d'avant en arrière.

– Pour combien de temps ?

Elle demeura silencieuse.

– Tu n'es pas obligée de répondre, dis-je.

– Pas longtemps.

Elle leva les yeux vers moi. Elle était au bord des larmes.

Je n'arrive pas à dire tout ce que je voudrais, fit-elle.

Écoute, ne… inutile de… enfin, tout va s'arranger.

Elle se frotta l'œil. *Pourquoi restes-tu si loin ?*

Tu es couverte de câbles, répondis-je.

Ah, oui. C'est vrai.

Nous restâmes ainsi, debout l'un devant l'autre, pendant une minute. Enfin, elle assise, et moi debout. Je la regardai. Elle recommença à faire bouger sa rotule. Je me tapotais les hanches. Cela faisait : *Tip-tip-a-tip-tip. Tip tap.*

Elle dit : *C'est drôle, on peut faire décrire un tour complet à sa rotule avec les doigts, alors qu'on serait incapables de la faire bouger avec nos muscles.*

Une des sphères que j'avais vues dans les couloirs entra et se mit à décrire des cercles autour d'elle.

Je lui dis que je devais y aller.

Elle dit qu'on se reverrait plus tard.

Je lui dis que mon aérocar était resté chez Link. Je l'avais oublié.

Elle dit que je ferais mieux d'aller le récupérer.

Je lui dis que j'espérais qu'elle serait ok.

Elle me dit que ça allait à peu près. Qu'elle m'appellerait plus tard. Est-ce que ça irait ? Pouvait-elle m'appeler ?

Bien sûr, répondis-je. *Bien sûr.*

Non. Vraiment ?

Pas de problème. Par interface.

Je hochai la tête. Finalement, je lui fis un petit signe de main, assez pathétique, et je sortis. La sphère s'était arrêtée devant son visage, dissimulant son expression. Je me retrouvai dans le hall.

Plus tard, ma mère passa me prendre et nous allâmes récupérer mon aérocar. Les autres étaient partis depuis longtemps. Link était seul chez lui. Nous le trouvâmes dehors, près de la piscine. Il me salua de la main et me cria :

– Elle est va bien ?

Je lui répondis par interface que oui, et il me dit tant mieux. Je montai dans mon aérocar et je suivis ma mère jusque chez nous.

Il y avait des cubes de haricot et des bâtonnets de poisson au dîner. Je me resservis deux fois. J'aurais eu le temps de faire mes devoirs, mais je préférai regarder l'interface. Des flics avaient découvert une caisse de flingues dans un entrepôt et se demandaient à qui ils pouvaient appartenir. Durgin, le héros, pensait qu'ils appartenaient à un maquereau. Son assistante avait filé son bas. Elle se pencha pour l'arranger. Plus tard, j'allai au lit. Mes parents avaient éteint le soleil depuis des heures. Une lumière grise filtrait à travers les volets.

Je dus finir par m'assoupir. En tout cas, je fis un rêve, dans lequel des gouttelettes d'eau roulaient le long d'une ficelle tandis que Violet me demandait : « Combien t'en faut-il pour en avoir assez ? » et je disais : « Ce sont les tiennes, tu sais. » Et elle : « Oui, mais combien t'en faut-il ? » et moi : « Tu le sais. Tu le sais parfaitement. » Puis elle disait : « C'est pour ça que je veux l'entendre de ta bouche. »

87,1 %

Le lendemain, j'allai la voir chez elle. C'était très bizarre. Nous ne parlions pas. Je ne sais pas pourquoi. Aucun de nous n'ouvrit la bouche. Nous restions assis là, en silence, à discuter par interface.

Ce n'est pas toi, lui dis-je. *C'est ce truc avec ton interface. Tu n'es pas comme ça.*

Peut-être que si. Peut-être que le problème est justement là.

Elle se frotta les mains l'une contre l'autre. *Je suis désolée. Je t'en prie. Dis à Quendy que je suis désolée.*

Son père descendait l'escalier.

Nous pouvions l'entendre à travers le mur.

Elle me dit : *J'ai perdu un an de souvenirs.*

Je ne compris pas immédiatement. *Quoi ?*

J'ai perdu un an. Pendant la crise. Je n'ai plus aucun souvenir de l'année qui a précédé l'implantation de mon interface. Quand j'avais six ans. Les informations ont purement et simplement disparu. Il ne reste plus rien.

Elle pressait ses paumes contre ses cuisses, de toutes ses forces. Elle s'observait très attentivement, comme s'il s'agissait de travaux pratiques. Elle reprit : *Rien du tout. Pas une odeur, pas une parole, pas une image. Pendant une année entière. Plus rien.*

J'étudiai son visage. Des rides nouvelles y avaient fait leur apparition. Elle avait l'air malade, comme si elle avait un goût d'hôpital dans la bouche. Elle vit que je l'observais.

Ne t'en fais pas, Titus, me dit-elle. *Nous serons toujours ensemble. Quoi qu'il arrive, nous serons toujours ensemble.*

Oh, fis-je. *Bien sûr.*

Elle tendit le bras et me caressa la main. *Je me souviendrai de toi. Je me raccrocherai à ça.*

Oh, dis-je. *D'accord.*

Mon Dieu, il y a tellement de choses que je voudrais faire. Oh, mon Dieu. Tu n'imagines même pas. J'ai envie de sortir et de m'y mettre tout de suite. Je voudrais danser. C'est ridicule, je sais, et tellement cliché ! Mais c'est ce que je me vois en train de faire. Je veux danser au milieu de toute une équipe de hockey, qui me porterait sur une

table en Formica. Je ne sais même pas par où commencer.
Je veux faire tout ce qui fait qu'on se sent en vie. Je veux
engloutir des repas énormes, avec du vin. Je veux aller au
zoo avec toi.

C'est nul, le zoo, dis-je. *Rien que des animaux assis*
bêtement, qui se tripotent les orteils.

Je veux aller sur les manèges. La rivière infernale, les
tasses géantes, la grande roue ? Avec toute la bande, tu
sais, et nous deux, serrés l'un contre l'autre par la force
centrifuge.

Je préférais éviter de penser à nous deux serrés
l'un contre l'autre pour le moment, ou à nous deux
parmi la bande, avec le risque qu'elle nous refasse
une nouvelle crise, donc je répondis simplement : *Les*
tasses géantes, ouais !

Mais Violet reprit de plus belle : *Je veux voir brouter*
des bestioles à travers des jumelles. Je veux voyager, là,
tout de suite. Je veux fiche le camp d'ici et visiter les
temples mayas. Je veux que tu me prennes en photo à côté
de la pierre sacrificielle. Tu vois ? Je veux courir sur la
plage, tu sais, une plage où on peut aller dans l'eau. Je
veux faire une bataille d'éclaboussures.

Je restai assis là. Son père travaillait à la cave. J'entendais des bruits d'outils électriques. Peut-être était-
il en train de percer ou, je ne sais pas, de découper ou
de poncer quelque chose.

Rien que des génériques de sitcoms, poursuivit-elle.
Hein ?

Tout ce qui me vient à l'esprit quand je pense à la vraie

vie, à vivre ma vie à fond – toutes ces idées proviennent directement de génériques de sitcoms. Tu vois ce que je veux dire ? L'idée que je me fais de la vie, c'est ce qu'on voit pendant les séquences d'ouverture. Mon Dieu. Qui suis-je, en dehors de l'interface ? Dire que tout me vient des génériques... Mon idée de la vraie vie, tu vois ? Tiens, toi et moi partageons un cône glacé au parc d'attractions. Oh, attention, la glace te coule sur le menton ! Je l'essuie avec mon coude. « Also starring, Lurna Ginty dans le rôle de Violet. » Oh, les jours heureux ! Maintenant, nous allons sauter dans la fontaine ! Nous émergeons du tunnel de l'amour ! Nous traversons le carrousel en courant. Tu passes le parc au détecteur de métal ! Et je fais pareil avec un compteur Geiger ! Nous disons bonjour à la caméra.

Sauf les ruines mayas.

Eh bien quoi ?

Il n'y en a pas, lui fis-je observer. *De pierres sacrificielles. On n'en voit pas dans les sitcoms.*

Non, reconnut-elle. *C'est vrai. Et un point pour l'équipe locale !*

Nous restions assis là. Elle s'arrangea les cheveux avec la main.

Je lui demandai : *Quelle sensation ça t'a fait ? A la soirée ?*

Elle attendit. Puis, elle admit : *C'était bon. Vraiment bon, de hurler enfin ce que j'avais sur le cœur. Comme si j'étais en train de chanter devant un public en délire. Sauf que j'étais en enfer.*

Plus tard, avant de partir, je regardai Violet et son père adresser une demande de réparation gratuite à FeedTech. Le père de Violet n'avait pas les moyens de payer lui-même les tests et tout le bazar. Les dépenses n'étaient pas couvertes par l'assurance-maladie, car l'interface ne relevait pas du domaine médical.

Ils composèrent un message pour FeedTech, expliquant ce qui s'était produit. Je restai assis pendant qu'ils parlaient, tous les deux. Ils expliquaient qu'elle avait perdu ses souvenirs, qu'il lui arrivait de se retrouver partiellement paralysée et qu'elle avait eu une crise très grave. Ils demandaient à FeedTech de prendre les recherches et les réparations à sa charge. Ils disaient que c'était un devoir pour la compagnie, car il y allait de la vie d'une jeune fille.

La garantie de son interface avait expiré depuis des années.

– Nous avons l'intention de présenter cette demande à différents fournisseurs corporatistes, dit le père de Violet. Si vous ne voulez pas nous aider, d'autres le feront. Nous trouverons quelqu'un pour payer cette réparation. Nous irons proposer notre clientèle ailleurs.

– Je vous en prie, dit Violet. Nous comptons sur votre soutien financier.

– Si vous souhaitez nous conserver comme clients, ajouta son père.

Ils envoyèrent le message. Après cela, il n'y avait plus grand-chose à dire.

86,5 %

Quendy et moi eûmes une petite discussion le jour suivant. Nous étions assis sur de gros cubes en béton, côte à côte.

– Elle est vraiment désolée, dis-je.

Quendy hocha la tête. Elle avait toujours ses lésions. Quand elle bougeait la tête, l'une d'elles s'ouvrait et se refermait sur son cou. On aurait dit la bouche d'un poisson en train de fredonner un air de country.

– Je... je ne peux plus me montrer en public, dit Quendy. Au début, je voulais m'enfermer dans une cabane à outils pour le restant de mes jours. Mais Loga a été adorable, vraiment. Nous sommes rentrées chez moi et nous avons passé la nuit à discuter. Elle est restée avec moi jusqu'au matin. Elle me disait : « Blablabla, elle boguait à plein tube, ne fais pas attention, blablabla, ce n'est qu'une garce complètement défoncée. »

– Oui, sauf que ce n'est pas une...

– Je sais. C'est juste ce que j'avais besoin d'entendre sur le moment.

– Elle se sent vraiment mal.

– Je sais. Ce n'était pas sa faute.

Je ne dis rien. Je me contentai de hocher la tête. Quendy chassa une mèche qui lui tombait sur le visage.

Je frottai l'un des coins en béton du bout du pouce.

– Elle va bien ? me demanda Quendy.

Je secouai la tête.

– Elle a peur. Ils disent que... son interface perturbe le fonctionnement de son cerveau.

– Oh, mon Dieu. (Elle se tourna vers moi.) Qu'est-ce que ça veut dire ?

– Je ne sais pas. C'est tout le cerveau qui est relié à l'interface : la mémoire, la partie qui nous fait avancer, la partie qui commande nos émotions...

– Le système limbique.

– Je n'en sais rien.

– Je viens de faire une recherche.

– Ah.

– Il y a un diagramme.

Elle me communiqua l'adresse du site.

– Ah.

Je ne bougeai pas.

– Tu ferais bien de le lire, dit-elle avec colère. Ça

t'aiderait peut-être à comprendre ce qui lui arrive.

Je croisai une jambe. Je jouai à faire et à défaire ma chaussure.

– Tu n'as pas envie de savoir ?

– Je crois que non, dis-je.

– Tu sais, dit Quendy, peu importe ce que tu peux ressentir dans cette histoire. Ce n'est pas à toi ni à moi que ça arrive. C'est à elle. Je ne sais pas ce que tu lui racontes ? Mais au moins, j'espère que tu ne lui fais pas la gueule.

Elle me dévisagea. Je restai impassible.

– En lui donnant l'impression que tout est de sa faute, ajouta-t-elle.

Elle posa la main sur ma cuisse.

– Hé, dit-elle. Hé !

A travers les entailles de sa main, le sang qui coulait dans ses veines était bleu.

52 %

En me réveillant le lendemain, je trouvai un message de Violet dans ma mémoire cache.

Il est trois heures et quart du matin, disait-elle. *Aucune réponse de FeedTech. Je suis au lit. Tu dors probablement à l'heure qu'il est. J'aime bien t'imaginer en train de dormir. Tu as de si belles lèvres.*

Ma mère n'a jamais porté d'interface. Ses parents n'avaient pas voulu lui en faire implanter une quand elle était petite. Ils disaient qu'ils préféraient attendre qu'elle soit suffisamment grande pour comprendre et choisir par elle-même, comme pour la confirmation catholique. Elle a décidé de s'en passer. Elle appelait l'interface la « taupe cérébrale ».

La famille de mon père n'avait pas assez d'argent pour lui offrir une interface, ni à mon oncle. C'était encore une invention récente, plus chère que maintenant. A l'époque, les centres commerciaux présentaient la puce dans des têtes argentées translucides ; les têtes pivotaient et appelaient les passants par leur nom.

Ma mère et mon père sont allés tous les deux au lycée sans interface. J'imagine que ça n'a pas été facile. Ils ne pouvaient pas stocker les cours en mémoire comme les autres, ni voir, tu sais, les maquettes tridimensionnelles de chromosomes ou de molécules. Mais ils sont quand même allés à l'université. C'est là qu'ils se sont connus.

Ça m'a toujours paru bizarre qu'ils décident d'avoir un enfant au conceptionarium. Je crois qu'ils tenaient vraiment à m'avoir par des moyens naturels. Ils en avaient longuement discuté. Enfin, je veux dire, ils ne sortaient ensemble que depuis quelques mois, mais quand même. Malheureusement, le niveau de radiations ambiantes était déjà trop élevé pour ça à l'époque. Alors, ils ont dû recourir aux éprouvettes.

Le plus vieux souvenir que je garde de ma mère, c'est elle en train de me porter sur ses épaules dans le centre commercial. *Elle n'arrêtait pas de me chuchoter des blagues, des petites blagues entre elle et moi. Elle se moquait beaucoup du plastique. Elle disait : « Ils sont tous habillés de pétrole. Leurs habits sont entièrement en pétrole. C'est tout ce qu'ils ont sur le dos. » Et moi, je murmurais : « Ils portent des dinosaures. Des dinosaures morts, qui leur dégoulinent de partout. » Et elle : « Des trilobites. » Et moi : « Des végétaux pourris. » Et elle : « C'est le dernier cri, tu sais ? » Alors je disais : « M'dame ? eh, m'dame ? C'est rien que du vieux plancton ! »*

Ma jambe est restée inerte pendant une heure et demie aujourd'hui. J'avais les orteils repliés. Impossible de bouger mon genou. Je ne t'ai pas appelé. Je ne voulais pas t'inquiéter. Tu ne parles pas beaucoup en ce moment. Je suis allée voir un technicien. Pendant que j'attendais, ma jambe s'est remise à fonctionner. Mon père était là avec moi. Il vit ça plutôt mal. Je n'ai plus aucun souci avec ma jambe, maintenant. Je suis allongée sur mon lit et j'arrive à la soulever, à la plier. Tout va bien. J'ai seulement quelques crampes.

Je suis en train d'examiner ma jambe. J'agite mes doigts de pied, je les mets en éventail, c'est très agréable. Comme dans la boue, tu sais ? Quand il vient de pleuvoir dans le jardin, mais qu'on sait que le beau temps va bientôt revenir, parce que l'association des voisins en a décidé ainsi ; et qu'on attend là, debout, le retour du soleil. Tu vois ?

C'est mon heure, mon moment privilégié, tu comprends ? Le seul que j'aurai jamais. Et je suis là, sur Terre, rien qu'une gamine, la seule et unique fois où je peux vraiment être une gamine, et je reste debout, à attendre le soleil artificiel, et je sens la boue entre mes orteils, parce qu'à ce moment-là, mes pieds fonctionnent encore à la perfection. Alors je me tiens là, je crispe les orteils et je lève les bras bien haut, et je regarde les nuages se faire aspirer dans les trous du ciel. Et c'est fini. Un après-midi est passé.

C'est tout.

J'espère que tu vas bien, toi aussi.

82,4 %

Je ne l'écoutai pas tout de suite dans sa totalité. J'étais couché dans mon lit. Je me rendis compte que c'était long, et je m'arrêtai au bout de quelques phrases. Je sentais comme un parfum d'hôpital – l'odeur de la maladie. Au début, je crus qu'elle était en pièce jointe, mais non, elle venait de mon nez. Je me levai, pris une douche, m'habillai et descendis à la cuisine où j'engloutis une ration des Granola de mon père. Puis je montai dans mon aérocar et pris le chemin de l'École™.

J'écoutai le reste du message pendant le trajet.

Quand l'aérocar s'arrêta de lui-même sur le parking de l'École™, je gardai les yeux fixés sur le pare-brise. Je n'avais pas envie de descendre. Des enfants couraient partout en se bousculant joyeusement. Leurs cartables scintillaient au soleil.

J'avais toujours ce parfum d'hôpital dans les narines. Il ne venait de nulle part en particulier. C'était elle. Même en arrêtant de respirer, je le sentais encore. Je retins mon souffle.

Je regardai l'École™ à travers le pare-brise. Tout le monde s'engouffrait dans les portes. Les feuilles des arbres virèrent au rouge pour me signaler que j'étais en retard. J'avais toujours la main sur le manche. Je la laissai là, en proie à une sorte de transe bizarre, comme si j'attendais le moment idéal pour tirer d'un coup sec, larguer les amarres et disparaître en plein ciel.

80,9 %

Liste définitive de ce que je tiens absolument à faire :

1. Danser.

2. Survoler un volcan en activité. Cracher dans la lave en fusion.

3. La danse pourrait-elle avoir lieu dans une boîte bourrée de miroirs ? Avec des clients en smoking, un grand orchestre et peut-être quelques gangsters ?

Tu n'arrêterais pas de dévisager une pin-up du nom de Belinda, qui viendrait de l'Oklahoma, et je te dirais :

« Nom de Dieu, Titus, tu ne pourrais pas garder tes yeux dans les orbites, comme tout le monde ? »

4. M'asseoir avec toi dans un endroit où l'on n'entend aucun moteur.

5. Reste-t-il de la mousse quelque part ?

6. Plonger sous la mer et observer les derniers poissons. Je veux m'asseoir dans l'une de ces bulles au milieu d'un banc de poissons.

7. Voir des œuvres d'art. Par exemple, me rappeler certains trucs à propos des Hollandais. Ce qu'ils portaient comme habits et comme armures, le fait que certains tombaient amoureux alors qu'ils se tenaient devant une carte ou une tapisserie, tout ça.

8. Passer un week-end avec toi dans les montagnes. Là où personne ne va d'habitude.

9. Une fois là-bas, aller dans un magasin qui vend uniquement de la bière et des cochonneries.

10. Louer une chambre d'hôtel avec toi. Nous inscrire sous le nom de M. et Mme Smith.

11. Prétendre que nous sommes de Fort Wayne. Que le gérant fronce les sourcils, se doute que nous mentons mais ne dise rien.

12. Être réellement de Fort Wayne. Ou d'une petite bourgade des environs. Nous n'aurions pas d'interface, nous donnerions des rencards au « cinéma ». Nous nous embrasserions dans l'aérocar. Et puis, quand j'aurais vingt ans, je m'en irais à l'Est, dans la grande ville, pour dénicher mon premier emploi. J'irais à des soirées où les gens s'assoient sur les bras des fauteuils, en buvant du

vin dans des coupes en plastique. Des gens avec de drôles de coiffures aux formes géométriques.

13. Et j'irais « au bureau » chaque jour, parfois même le week-end, en tailleur, et je serais assistante administrative, et je t'appellerais à l'interface depuis mon bureau pour me plaindre de cette garce de directrice ou de ce pervers de patron. Tu serais mon petit ami à la maison. Toi aussi, tu serais de Fort Wayne.

14. Vieillir.

15. Voir défiler les années.

16. Parfois, je voudrais porter un cardigan et avoir un golden retriever du nom de... Je ne sais pas. Le nom d'une obscure personnalité – n'est-ce pas ce que font généralement les gens comme moi ? Ils baptisent leur chat Toutankhamon ou Mithridate. Ils donnent à leur chien des noms de penseurs célèbres, comme Jefferson, ou Socrate, ou Thomas Paine. Je crois que j'appellerais le mien Paine.

17. Voir des artistes et des compositeurs célèbres fréquenter ma maison. Tu sais, le genre de type qui s'appelle Gerblich et travaille sur une pièce dans laquelle on tronçonne un piano à la hache.

18. Recevoir la visite de mes petits-enfants alors que je porterais mon cardigan. Ils m'appelleraient Nana. Nous irions nous asseoir au bord du lac, qui ne fumerait pas, contrairement aux autres lacs. Ses eaux seraient parfaitement lisses en l'absence de vent et ne brûleraient pas les branchages. Je leur parlerais de leurs arrière-grands-parents, je leur montrerais de vieilles photos sur le site de famille. Je leur raconterais que leur arrière-arrière-arrière-

grand-père avait fui l'Allemagne juste avant la Deuxième Guerre mondiale. Il était homosexuel et devait porter un triangle rose à sa manche. Il avait débarqué en Amérique et épousé une jolie infirmière bénévole marxiste pour obtenir la citoyenneté, après quoi ils avaient finalement décidé d'avoir des enfants. Mes petits-enfants me demanderaient ce que veut dire « bénévole ».

19. Au moment de préparer le dîner, la petite Shirley m'aiderait à éplucher le maïs.

20. Je lui raconterais comment était sa maman quand elle n'était encore qu'un bébé, toutes les bêtises qu'elle aurait faites pendant son enfance.

21. Je m'adosserais à l'évier et je n'aurais aucun souvenir des heures passées dans les salles d'attente, des médecins en train de me palper avec leurs instruments métalliques, de me pousser sur un brancard, des techniciens tenant des conciliabules secrets avec mon père. J'aurais oublié ce que ça fait de regarder fixement ma jambe, de la pincer avec mes ongles jusqu'à ce que la peau vire au blanc, au rouge, puis au bleu, et de ne sentir absolument rien. J'aurais oublié ce qui va vraiment arriver, ce silence nerveux qui va se propager dans tout mon corps, comme un nuage pourpre, ce vide, cette inertie. J'aurais oublié que tu te tenais à côté de mon lit d'hôpital, alors que je ne pouvais pas bouger, à m'observer d'en haut ; j'aurais oublié tes excuses pour ne pas être venu me voir plus tôt ; j'aurais oublié comment tu t'ennuyais à mon chevet, à m'écouter trébucher sur les mots, en attendant d'être resté assez longtemps pour avoir le sentiment d'être quelqu'un

de bien et de pouvoir partir. J'aurais oublié tout ça, parce que ça ne sera jamais arrivé. Je m'adosserais à l'évier, et ma petite-fille découperait des molécules en papier avec ses ciseaux pour un devoir scolaire.

22. Je sortirais appeler le chien, parce qu'il se ferait tard et qu'il y aurait des coyotes dans les bois. La nuit tomberait. Depuis la véranda, je crierais : « Paine ! » Et les arbres frissonneraient. « Paine ! Paine ! » Et il répondrait à mon appel.

78,6 %

J'avais les yeux braqués sur le sweat-shirt d'une fille. Je n'arrivais pas à me concentrer sur le professeur. C'était un hologramme qui faisait la classe désormais. Question d'économies budgétaires. Les enseignants humains avaient disparu, au même titre que la fanfare de l'école.

Je ne répondis pas au message de Violet. Je n'avais même pas lu sa liste en entier la première fois ; je m'étais contenté de la parcourir. Je l'avais survolée en accéléré. Ensuite seulement, toutes les heures à peu près, j'y revenais et je m'en repassais une partie.

Quand je parvins au dernier article, c'en était trop.

Je fixais le dos de la fille assise devant moi.

Un hologramme – comme celui qui nous faisait

cours, par exemple –, il faut le regarder bien en face. Sans quoi, on a parfois l'impression qu'il est vide. On le regarde et, brusquement, son visage semble se retourner comme une chaussette ; son nez, ses joues et le reste se découpent en creux, et il n'y a rien à l'intérieur.

Si on ne le regarde pas bien en face, on peut avoir la sensation de contempler une coquille vide.

77,8 %

Hé, me dit-elle à l'interface. *Ça va ? J'aimerais bien être avec toi aujourd'hui. Je voudrais toujours être avec toi… Au fait, as-tu reçu ma liste ? Titus ?… Titus ?*

76,3 %

Ce jour-là, après l'École™, j'allai chez Link avec Marty. Nous nous assîmes au bord de la piscine. Link me demanda des nouvelles de Violet, comment elle s'en sortait, tout ça. Je répondis que je supposais qu'elle allait bien. Il s'étonna. Ne lui avais-je pas parlé récemment ? J'avouai que non, pas depuis quelques jours.

Elle avait tenté de me joindre à plusieurs reprises depuis qu'elle m'avait envoyé sa liste, mais j'avais laissé sonner occupé.

On traîna un moment, Link et Marty nagèrent un peu, puis on joua au volley dans l'eau – pas évident, lorsqu'on n'est que trois. Nous étions là, debout dans la piscine, quand je lâchai :

– Dites, vous n'avez pas envie de boguer un coup ?

Ils me dévisagèrent, l'air de se dire : « Qu'est-ce qui lui prend ? »

– Bien sûr, répondit Marty, et Link ajouta qu'on lui avait parlé d'un nouveau site extra.

– C'est vraiment ce que tu veux ? insistèrent-ils.

Je haussai les épaules.

– C'est moi qui l'ai proposé, non ?

Ils hochèrent la tête.

On sortit de la piscine et on se sécha avec nos serviettes. On passa à l'intérieur. Le site était en suédois, bardé d'avertissements. En cliquant dessus, on sentit notre compte se débiter automatiquement. Et brusquement le bogue me frappa en pleine tête. Des briques colorées, d'abord, et je basculai en arrière parce qu'elles m'arrivaient dessus trop vite ; je me retrouvai le nez contre le pied du sofa. Link rampait sur la moquette, l'air complètement défait. Le bogue continuait à nous assaillir, vague après vague. Le sol était raide. Je tentai de m'accrocher à la lampe, mais elle glissa sous ma main.

Les parasites brouillaient tout, à tel point que je ne voyais même pas où nous allions. Je me contentai de regarder les autres. A travers les parasites, je voyais leurs bouches en train de remuer. Violet me demanda ce qui m'arrivait. Je voulus m'asseoir pour lui répondre, mais elle n'était même pas dans la pièce. C'était marrant ; je m'esclaffai.

Marty crut que je riais pour autre chose et se mit à m'imiter. Bientôt, nous étions tous en train de rire. Tous les clients du glacier nous regardaient. Nous venions de nous acheter un pot et je dis : *Si j'avale de ce truc, je vais dégueuler,* et Marty dit : *Les gars, quelqu'un sait comment nous avons fait pour nous retrouver chez un glacier ?* et moi : *Waouh, mec, j'espère que ce n'est pas toi qui conduisais.* Certains parents éloignaient leurs enfants, et Link s'avança vers eux en faisant : « Bouh ! D'accord ? BOUH ! » Il écarta les mains. De la lumière sortait de ses doigts. Je la montrai et dis : « Lumière. » Marty dit : « Éclair. » Link dit : « Étang. » Marty dit : « Maman. » Je dis : « Cerf-volant. » Link demanda si nous avions jamais réfléchi au fait que les cerfs-volants ne sont soutenus que par du vide ? Marty rétorqua que cela n'avait rien à voir avec le vide, abruti, ils étaient soutenus par l'air. L'air, tu comprends ? L'air.

On ressortit dans le grand hall du centre commercial pour entrer dans un magasin de musique. Mais la sono était vraiment très, très forte, et on repartit aussitôt pour aller dans un magasin de vêtements. Là, on prit possession de la cabine d'essayage. C'était plus calme, exception faite du gêneur qui tambourinait à la porte en nous priant de partir. Je montrai à Marty et à Link la liste que Violet m'avait envoyée, la liste des choses qu'elle voulait faire avant de mourir. Après l'avoir lue, Marty dit : *Mince, mec, tu parles d'un truc*, et Link dit : *C'est drôlement puissant, elle est forte, la garce*. Je protestai que Violet n'était pas une garce, à quoi il répondit que ce n'était pas ce qu'il avait voulu dire – seulement ce qu'il avait dit. Marty me demanda pourquoi je refusais de lui parler, et je lui dis que je ne refusais pas ; il se trouvait simplement que je ne lui parlais plus. Il disait que le message était si foutrement triste qu'il lui donnait envie de pleurer. Je leur demandai : *Vous ne trouvez pas qu'elle est un peu dure avec moi ? Quand elle parle de moi, debout à son chevet et tout ça ?* Ils me répondirent : *Comment ça, dure ?* L'autre continuait à tambouriner à la porte comme une andouille, ce qui me réveillait plusieurs fois à la minute. J'étais roulé en boule sur la moquette, les bras autour des genoux. Un pantalon pendait à la patère. On vérifia – plusieurs fois –, mais nous avions tous nos pantalons sur nous. Celui-là devait appartenir à la dame qu'on avait plus ou moins chassée de la cabine. L'idée qu'elle n'avait pas osé le réclamer nous fit bien rire. C'était bon d'être entouré d'amis. Violet me demanda de nouveau ce qui n'allait pas, et je la priai gentiment de fermer sa gueule. Mais heureusement, je lui criai ça à voix haute et elle était en ligne, pas avec nous.

Nous nous levâmes et ouvrîmes la porte. De l'autre côté, un jeune qui portait des habits impeccables avec des sortes de boudins annulaires autour des manches nous pria poliment de vider les lieux, sous prétexte que nous n'avions pas l'air dans notre état normal.

Nous sortîmes nous asseoir à côté de la fontaine afin de contempler l'eau. C'était intéressant, parce que notre vision ralentie permettait de suivre la chute de chaque gouttelette. C'était fascinant, toutes ces gouttes qui tombaient, qui dessinaient des ronds à la surface, et chaque rond qui s'élargissait dans toutes les directions avant de revenir, et l'eau qui dansait. Violet me demanda ce que je fabriquais, si j'étais encore à l'École™ ou non.

Fillette, lui dis-je, *tu n'as pas idée comme je suis loin de l'École™.*

Où es-tu ? Cela fait des jours que tu ne m'as plus donné aucun signe de vie.

Violet, fis-je. *Violet, Violet, Violet.*

Tu bogues ou quoi ?

Ça va passer.

Hein ? Hé, oh ! Hé ! Arrête !

Je ne me souviens plus où j'ai garé mon aérocar.

Ne vole pas dans cet état. Tu es défoncé. Tu as entendu

ce qui s'est passé en Amérique centrale ? Deux villages du golfe du Mexique, mille cinq cents personnes – on les a retrouvées mortes, couvertes de cette substance noire.

– Messieurs, annonçai-je à mes amis, je vais devoir vous laisser.

Tu en as entendu parler ? C'est énorme. Apparemment, ce serait une catastrophe industrielle. L'Alliance globale accuse les USA.

– J'espère, messieurs, que chacun de nous est venu à bord de son propre... (je cherchai le mot) truc. Véhicule.

Ne vole pas tout de suite, me supplia-t-elle. *Attends un peu. Tu es complètement dans les vapes.*

Non, je t'assure.

Tu m'envoies deux coquilles par mot. Tes transmissions sont complètement déréglées. Qu'est-ce que tu fabriques ? Qu'est-ce qui t'a pris ? Reste où tu es.

Je suis au centre commercial. En train de boguer. Je bogue au centre commercial.

Oh, mon Dieu ! Ne fais rien. Attends que l'effet se dissipe.

Je viens te voir. Je me sens... Je me sens mal.

Pauvre idiot. Tu n'as aucune idée de ce qui m'est arrivé ce matin. Ni des nouvelles. Titus, ce matin... Je n'arrive pas à croire qu'au milieu de tout ça, tu sois sorti te payer un bogue. Espèce de pauvre crétin sans cervelle.

– Au niveau trois, intervint Marty qui était toujours assis en face de moi. Dans le parking. A côté du mien. Tu es en état de conduire ?

– Je brancherai le pilote automatique.

– Tu es sûr ?

– T'inquiète ! dis-je. Mon cheval saura bien me ramener à l'écurie...

Je me grattai le crâne. Marty hocha la tête. Link se mit à chanter « Ohé, les elfes, le père Noël a pris la route... », ce qui me semblait totalement inapproprié.

Je me rendis au parking. Je cherchai le niveau trois. Les effets du bogue commençaient à s'estomper ; je n'éprouvais pratiquement plus que de l'euphorie. Je trouvai mon aérocar et celui de Marty – ce dernier, légèrement froissé contre un pilier.

Je pris l'air. Une fois dans le tube d'expulsion, j'engageai le pilotage automatique. J'étais à moitié assoupi. Je rêvais, de sweat-shirts, principalement. *Du fromage à tartiner ! Mais, quelle différence !*

... après la déclaration du Premier ministre de l'Alliance globale, selon lequel, je cite : « L'intégrité physique et biologique de la Terre repose, à ce stade, sur le démantèlement de toutes les entités corporatistes basées en Amérique, quel qu'en soit le prix. » On estime que l'annexion de la Lune par les USA au titre de cinquante et unième État...

L'aérocar s'engagea dans son tube d'accès et descendit jusqu'à son niveau, tout au fond ou presque, là où se trouvait sa banlieue.

Je volai jusqu'à sa rue. Elle m'attendait devant chez elle. J'aimais beaucoup la manière dont elle avait arrangé ses cheveux. J'immobilisai l'aérocar au bout de l'allée et le laissai en suspension. J'ouvris la portière et manquai basculer au-dehors.

– Ma belle, dis-je.

– Ne rentre pas. Je ne veux pas que mon père te voie comme ça.

– Je... Oups ! Ça tangue !

– Sombre idiot. Bon, d'accord. Descends de là. Allons nous asseoir sur la pelouse.

Je descendis tant bien que mal. Je dus frapper l'herbe plusieurs fois à coups de talon pour éprouver sa fermeté. Elle me prit par la main.

– Ta liste, dis-je. Il va nous falloir cinq jours.

– Quoi ?

– Tu sais, ta liste. Il va nous falloir cinq jours. Je veux dire, pour tout faire. Enfin, tout ce qui vient avant le passage où, tu sais, tu es de Fort Worth.

– Fort Wayne. L'activité numéro douze.

– Hein ?

– L'activité numéro douze. Être réellement de Fort Wayne.

– Eh bien, l'activité numéro douze, c'est hors de question.

– Je suis heureuse que tu sois là. J'avais peur de ne plus jamais te revoir.

– Nous allons faire tout ça, ma belle. Nous allons les trouver, tes montagnes.

– Hé. Hé ! Du calme. Tu as écouté les infos ? C'est horrible.

– Je crois que, si tu me laisses dormir un peu, je serai en état d'aller danser. Pour les montagnes, on ferait mieux d'attendre le week-end. Tu n'as pas École™, mais moi, si.

– Non. Moi, j'ai veillée funèbre.

– Quoi ?

– Mon père passe la journée assis à me regarder. Il a cessé de me faire la classe. Il dit qu'il veut bien répondre à toutes les questions que je pourrais me poser, mais que ce n'est plus la peine de m'embêter avec des cours.

Je sentais qu'elle était en train de me dire une chose très importante, mais les arbres étaient si verts, et je humais le parfum de l'herbe coupée si près de mon visage. Elle me dit que son père lui avait demandé ce qu'elle avait envie de savoir, alors elle lui avait demandé si nous avions une âme. Mais je gisais face contre terre, le sol était frais et l'herbe me chatouillait agréablement les narines, et je m'endormis, au son des infos qui défilaient sous mes paupières.

Pendant que je dormais sur sa pelouse, elle me fit parvenir un message. *Voici ce que j'ai reçu ce matin*, disait-il. *La réponse de FeedTech. Regarde la pièce jointe.*

C'était un enregistrement intégral des sensations de Violet. Il expliquait beaucoup de choses. Il contenait ses souvenirs de la matinée. Je les passai en revue.

Je me retrouvai dans la peau de Violet, en train de descendre son escalier. Au mur, une affiche montrait une Asiatique tenant une vieille machine entre ses mains. Je sifflotais un air de bore-core ridicule. Je descendais les marches quatre à quatre.

Soudain, je me retrouvai incapable de bouger les jambes, ou même d'appeler au secours. J'essayai d'attraper la rampe, mais rien à faire ; je basculai en arrière. Ma main cogna contre le mur, puis mon visage heurta le tapis de l'escalier et je partis en glissade sur le flanc. Le frottement des marches me brûlait la joue. J'avais le sentiment de me retrouver sous l'eau.

Je n'arrivais plus à respirer.

Je levai la tête puis la laissai retomber. J'étais couchée par terre au pied des escaliers. Il faisait sombre, parce que je n'avais pas allumé. Je m'efforçai de respirer.

J'essayai de respirer.

Et Nina apparut.

Je griffais l'air.

Elle me dit : *Salut, c'est Nina, ton assistante commerciale FeedTech personnelle. As-tu remarqué que la panique a tendance à favoriser l'apparition de mauvaises odeurs sous les bras ? Beaucoup de jeunes filles l'ont constaté. Pas de problème ! Pourquoi ne pas jeter un coup d'œil sur cette nouvelle gamme de produits antitranspirants à l'hypersite Superpharmacie DVS ? Mais ce n'est pas la raison qui m'amène, Violet.*

D'abord de petites bouffées, puis de plus grosses ; enfin, je sentis de nouveau mon visage et mon dos douloureux, et je retrouvai mon souffle. Mes jambes étaient dans une drôle de position. Je ne les sentais plus.

Je suis venue t'informer que la FeedTech Corporation a décidé de ne pas donner suite à ta demande relative à une réparation et/ou à un remplacement complémentaire de ton interface, poursuivit Nina.

— Non, dit Violet/dis-je à voix haute. Non, je vous en prie. Je vous en prie. Non.

Nous avons tenté d'intéresser d'autres fournisseurs corporatistes à ton cas.

Violet implorait : *Je vous en supplie. Il me faut de l'aide.*

Nos jambes refusaient de bouger. Nous gisions là, incapables de les remuer, et Nina disait : *Nous avons fait de notre mieux pour intéresser différents fournisseurs corporatistes possibles, mais nous avons le regret de t'informer que ta requête a été repoussée.*

Quoi ? Pourquoi ?

Nous sommes navrés, Violet Durn. Malheureusement, FeedTech et les autres fournisseurs ont examiné ton historique commercial, et nous ne pensons pas que tu représentes un investissement fiable pour le moment. Personne n'a réussi à établir ce que nous appelons un « profil » de tes habitudes d'achat. Par exemple, tu réclames beaucoup d'informations à propos d'articles et de produits très différents, mais finalement, tu n'achètes jamais rien. Je dois t'avouer que la réaction de nos fournisseurs a été : « Qu'est-ce qui ne va pas chez cette jeune fille ? » Navrée, je crains qu'il ne faille t'accommoder de ton interface dans l'état où elle se trouve.

Étendue dans l'obscurité, Violet sentit des picotements revenir au bout de ses jambes. Elle cria pour appeler son père. Elle pleurait.

Tu sais, Violet, peut-être que si nous examinons ensemble quelques-unes des super affaires que l'on trouvera sur le réseau au cours des six prochains mois, nous réussirons à établir un profil de consommatrice susceptible de retenir l'intérêt de notre équipe d'investissement. Qu'en dis-tu, Violet Durn ? Rien que toi et moi – entre filles ! Nous dévaliserons les boutiques jusqu'au bout de la nuit !

Partez, dit Violet par l'interface. *Partez. Laissez-moi.*

Nina sourit. *J'ai toute une galaxie de produits sensationnels à te faire essayer !*

S'il vous plaît. Je suis seule à la maison et je suis tom-
bée. Laissez-moi, s'il vous plaît. Ne m'aidez pas.

C'était à cet endroit que Violet avait coupé l'enregistrement mémoriel qu'elle m'avait envoyé. Sur elle
gisant dans la pénombre, par terre, dans la cave, à
guetter anxieusement le retour de son père.

Sentant une douleur à la tête. Se demandant si ce
n'était qu'une conséquence de la chute ou si c'était
l'interface qui rouillait. Comme si elle pouvait la sentir, en train de se désagréger dans son cerveau.

76,2 %

Je me réveillai avec une migraine carabinée. On
n'alla pas danser. Le soir tombait déjà sur son quartier, son père nous observait par la fenêtre et je ne
savais plus où me mettre, parce qu'il était visible qu'il
se disait : « Ma fille est en train de gâcher ses dernières heures avec ce trou du cul. »

Elle était assise dans l'herbe à côté de moi. Des
aérocars passaient devant nous dans les deux sens.
Les gens rentraient du travail. C'était la fin de la journée.

Elle me proposa de rester dîner mais je craignis de
l'embarrasser si j'avais un malaise, et je refusai.

L'interface tentait d'effacer ma migraine. Je la sentais procéder à des blocages nerveux. Dans ma boîte à lettres, un message en provenance de Suède me remerciait d'avoir choisi le Coup-de-pied-de-l'âne et m'encourageait à revenir très bientôt. Aucune chance que je retouche un jour à cette saloperie ; elle avait une sale entame, et la descente était encore pire. Je me sentais minable.

Nous restions assis là, dans l'herbe.

– Je ne voulais pas..., commençai-je. Je ne savais pas qu'ils t'avaient envoyé ça. Le refus. J'ignorais complètement.

– Tu ne me l'as pas demandé.

Je restai silencieux pour lui permettre de vider son sac, si elle le désirait. Peine perdue. Elle se contenta de parler musique, de me raconter quelques concerts auxquels elle avait assisté plusieurs années auparavant. Elle n'aimait pas la musique fun mais appréciait beaucoup la musique sarcastique, comme le bore-core.

J'attendais qu'il se produise quelque chose. J'aurais voulu qu'elle fasse un geste, je ne sais pas, qu'elle me prenne par la main.

Son père nous observait derrière la fenêtre, les lèvres pincées.

Au bout d'un moment, je me décidai à poser la main dans l'herbe, juste à côté de sa hanche. Elle continua à me parler de la tournée de Diatribe. A croire que nous n'étions jamais sortis ensemble. Je me dis que je pourrais peut-être la bousculer comme par accident, de manière à établir un contact. Mais hors de question que je la touche si elle ne le faisait pas la première.

La discussion prit fin et elle me demanda si je devais partir. Je répondis que oui, il valait mieux, car j'avais encore une longue route à faire. Elle me demanda si ma tête me faisait encore mal, et je lui dis que je ne sentais plus rien.

En me levant, je jetai un coup d'œil à la fenêtre. Son père était assis derrière, les coudes sur les genoux, le regard fixé sur la poubelle. Violet me raccompagna à mon aérocar. J'attendis de voir si elle allait m'embrasser. Elle n'en fit rien, alors je lui dis au revoir et grimpai à bord.

Elle leva les yeux vers moi et commença à sourire. Elle leva une main.

Je fermai la portière.

Je décollai.

Le lendemain, ses bras refusèrent de fonctionner pendant une heure. Elle eut une crise de panique et il fallut lui administrer un sédatif.

Cette nuit-là, je sentis un nouveau message arriver dans ma mémoire cache. Un gros. Un énorme. Il commençait par : *Trois heures du matin, encore une fois. Je ne dors pas. J'écoutais des requiem. J'en ai commandé plusieurs. Je me suis renseignée sur les rites funéraires du monde entier.*

Dans certains pays, on danse et on chante. Ailleurs, on déchire ses vêtements. Ou bien on joue tous ensemble avec des clarinettes en bambou. Ou on hurle. En Polynésie, on se lamente, mais les lamentations sont assez proches d'un chant. C'est étrange, quand tu commences à prêter l'oreille à ces lamentations qui sont aussi un chant, qui font partie d'un rituel, tu ne peux t'empêcher de te demander à quel point on manque vraiment à ceux qui nous survivent ? A quel point pleurent-ils uniquement parce que c'est l'usage, parce que cela fait partie du chant ? Certaines femmes australiennes doivent demeurer silencieuses pendant toute la durée de leur deuil – c'est obligatoire – et passent le reste de leur vie à s'exprimer uniquement avec les mains.

Titus, j'ai peur du silence. J'ai peur que ma mémoire disparaisse complètement. Quand je repense à cette année que j'ai perdue, entre six et sept ans, c'est le néant. Je veux dire, je suis incapable de me rappeler quoi que ce soit. J'ai beau essayer, je n'ai aucun souvenir de ce qui a pu m'arriver immédiatement avant que je reçoive mon interface.

J'ai peur de perdre mon passé. Qui sommes-nous, sans notre passé ?

Alors, je vais te raconter certaines choses. En particulier des choses qui remontent à la période d'avant mon interface. Tu es la personne la plus importante de ma vie. Je vais tout te raconter. Un jour, peut-être que ça te permettra de m'aider à me souvenir.

Elle continua à m'envoyer des fichiers. Je les mis de côté sans les ouvrir. Le lendemain, pendant l'École™, je les sentis s'accumuler dans ma mémoire, comme un fardeau. On aurait dit qu'une vanne se déversait en moi, sans que je puisse rien arrêter.

En rentrant chez moi cet après-midi-là, dans mon aérocar, j'examinai avec inquiétude les fichiers qu'elle m'envoyait. Ils prenaient de plus en plus de place. Il en arrivait pratiquement toutes les cinq minutes. Parfois, j'en saisissais quelques bribes – son père, plus jeune, qui lui lançait une balle de base-ball. Sa mère, portant des sandales et un chapeau à protons. L'odeur de je ne sais quelle sauce en train de mijoter. De vieilles histoires d'avant son interface. J'en captais quelques mots. Il était parfois question d'une tante, d'un chameau, d'une guitare ou que sais-je.

Je n'ouvris rien, aucune de ses histoires. Je me contentai de les stocker. Je n'y touchai pas durant le trajet. Les brefs aperçus que j'en avais me suffisaient amplement.

J'avais mal au crâne en arrivant à la maison. Je demandai à l'interface de s'en occuper. Elle répondit en attirant mon attention sur tous les messages qui s'entassaient dans ma mémoire cache et en me suggérant de les ouvrir.

Je m'assis à table, puis déambulai dans la maison. Elle continuait à me bombarder.

Enfin, je reçus un signal m'indiquant que c'était terminé. Elle avait libéré mes lignes.

Je passai dans la cuisine me servir un verre d'eau. Je regardai par la fenêtre, au-dessus de l'évier.

J'effaçai tout ce qu'elle m'avait envoyé.

Je retournai dans le living-room et m'assis sur le sofa. Je n'étais pas fier de moi.

Je restai assis là, sur le sofa, contemplant la cheminée. J'avais effacé tous ses souvenirs.

Plus tard, elle me contacta par interface, pour me demander : *Quelle est ta réponse pour mon idée de weekend ? Il faudra inventer quelque chose, pour mon père, parce qu'il ne veut plus qu'on se voie – mais ne t'en fais pas, ne t'en fais pas. Quoi qu'il arrive, nous resterons ensemble.*

Comme j'ignorais complètement de quoi elle voulait parler, je ne répondis pas.

Les murs de ma chambre étaient entièrement blancs. Ils comportaient des zones-écrans où un simple regard suffisait à faire apparaître des posters, mais je les avais éteintes. Il n'y avait rien sur mes murs.

Je me mis au lit sans faire mes devoirs.

Je restai allongé là, à contempler le plafond.

Je ne parvenais pas à trouver le sommeil.

Vendredi soir, impossible de réfléchir. Mon frère hurlait et courait à travers la maison en faisant tout tomber sur son passage. Mon père était absent depuis plusieurs semaines et ma mère, furieuse, n'arrêtait pas de crier sur Boule Puante. Lui continuait à trotter sur la moquette. Il diffusait ses émissions pour enfants dans toutes les directions, si bien qu'en passant près de lui je captais brièvement des fragments de programme, comme :

EST-CE QUE TA TÊTE EST UN CARRÉ ? CLIQUE SUR « UN » !

... CHUCKIE, NE ME DIS PAS QUE TU AS ENCORE PERDU TES CHAUSSETTES ?

... ou alors, je me penchais et, brusquement :

... DES COPAINS ROBOTS A PORTER DANS TES CHEVEUX ! PAR PAQUET DE SIX, POUR MIEUX FAIRE SURSAUTER MAMAN ! (« Waouh ! » « D'enfer ! » « Le mien s'appelle Looty ! »)

Donc, je m'étais enfermé dans ma chambre pour avoir la paix. J'entendais maman courir après Boule Puante, en promettant de lui acheter des cookies s'il voulait bien s'arrêter.

J'étais assis là, à me demander ce que je pourrais faire, car les jeux que j'avais en mémoire ne m'amusaient plus. Nous étions vendredi soir, mais j'ignorais si les autres sortaient, ou ce qu'ils avaient prévu pour le week-end.

Ma mère me lança d'en bas :

– Hé ! Violet est là !

Elle me dit cela comme si j'attendais sa visite.

Je me levai et gagnai la porte de ma chambre. Je n'ouvris pas tout de suite. J'avais la main sur le bouton, mais je n'appuyai pas. Je restai là, devant la porte.

– Ohé ! appela ma mère. (Je l'entendis qui disait :) Tu n'as qu'à monter. Il s'est probablement assoupi.

Je pressai le bouton.

Elle montait les escaliers.

Elle me fit un petit signe de la main, assez pathétique, comme si j'allais lui crier dessus.

Je m'effaçai légèrement pour la laisser passer.

Elle n'entra pas. Elle s'arrêta juste avant, dans le couloir.

Je me tenais à l'intérieur.

– Je peux… ? demanda-t-elle.

Je lui fis signe que oui. Elle entra, et je refermai derrière elle.

– Tu ne m'as pas répondu, à propos de ce week-end, dit-elle, mais j'ai décidé d'y aller de toute façon. J'ignore combien de temps il me reste.

– Où vas-tu ?

– A la montagne. Tu peux venir, si tu veux. (Elle hésita.) Ça me ferait plaisir.

– Quand ?

– Tout de suite. Pour le week-end. Tu n'as pas eu mon message ?

Je secouai la tête.

– Non, répondis-je.

– L'autre nuit ?

– J'ai bien l'impression que non.

– Ni les souvenirs ?

– Quels souvenirs ? dis-je.

– Tous les souvenirs que je t'ai envoyés. Il y en avait des heures et des heures.

Je baissai les yeux sur la moquette. Je lui dis :

– Non. Non, je n'ai rien reçu. Ni souvenirs, ni rien.

Elle s'assit sur le lit.

– Oh, dit-elle. Formidable. Ça aussi ça bogue, maintenant. Mes transmissions et mes messages. Je me demandais aussi pourquoi tu ne répondais rien. Oh, mince alors. Mince !

Je ne fis aucun commentaire. Je me contentai de rester là, immobile.

Elle leva la tête vers moi.

– Je suis venue en taxi.

Je m'accoudai négligemment à ma commode.

Elle continua :

– J'ai dit à mon père que j'allais chez une amie. Il ne sait pas que je suis là. Qu'est-ce qu'il pourrait faire, de toute façon ? Me priver de sorties jusqu'à la fin de mes jours ? C'est-à-dire, quoi, quinze minutes ?

Elle eut un rire forcé. J'aurais préféré qu'elle évite ce genre de plaisanteries. On ne plaisante pas avec la mort. Surtout quand ça risque de mettre vos amis mal à l'aise, simplement parce que vous avez un truc qui cloche et que vous ramenez systématiquement la conversation là-dessus.

– Tu viens ou pas ? dit-elle. C'est le moment ou jamais. J'ai l'intention de m'éclater. Je veux vivre ma vie à fond. Je veux aller à la montagne, voir ce qu'il y a et redescendre lundi ou mardi en me disant : « J'y suis allée. J'ai profité de la moindre seconde. » Et après, chaque jour, je ferai quelque chose de différent. Peu importe – musées, spectacles… N'importe quoi.

– Je suis occupé, dis-je. C'est dommage que je n'aie pas eu ton message.

Elle me dévisagea comme si elle refusait d'en croire ses oreilles.

– Si je l'avais eu, poursuivis-je, j'aurais pu modifier mes plans.

– Très bien, dit-elle. (Elle était furieuse. Elle se leva). Très bien.

– Sincèrement, je regrette.

– Tu n'as pas envie de partir à l'aventure avec moi ? Tu ne trouves pas cela excitant ? Plus excitant que… que ce que tu es en train de faire ?

Boule Puante passa derrière nous dans le couloir, en diffusant toujours ses émissions (« *BOUGEZ-VOUS UN PEU, LES P'TITS GARS. VOUS VOUS CROYEZ EN VACANCES ?* »). Maman lui courait après en criant. Elle claqua quelques portes. Je crois qu'elle finit par l'attraper.

– Ce sera chouette, dit Violet.

Elle me fit parvenir des images d'une cabane au milieu des sapins, du feu de cheminée et de deux personnes au visage mosaïqué, qui pouvaient être elle et moi, douillettement installées sous l'édredon.

– Allez, insista Violet. Que comptais-tu faire, sinon ?

Je n'avais pas envie de lui répondre.

Sérieusement, fit-elle par interface. *Qu'est-ce que tu avais prévu ?*

Je repensai aux images, à la cabane au milieu des sapins. Je pensai à l'édredon, et à elle, lovée contre moi. Je me revis en train d'effacer les copies de ses souvenirs.

– OK, dis-je.

– Tu viens ?

– Oui.

– Oh, c'est formidable. Tu vas voir, on va bien s'amuser.

– Oui.

Elle me dit de préparer mes affaires. Je sortis donc quelques vêtements et commençai à les entasser dans un sac de marin. Elle était gaie comme un pinson. Elle rebondissait sur le lit et discourait sans fin à propos de l'endroit où nous allions. Elle prit un de mes caleçons empilés sur le sac et, avec un petit sourire en coin, agita le doigt à travers la fente de la braguette. On aurait dit une trompe d'éléphant. Je la regardai sans rien dire. Elle rejeta le caleçon sur le sac.

Je le pliai et le glissai à l'intérieur.

Je prévins ma mère que nous allions à un concert et que j'allais dormir chez Violet, parce que j'étais certain qu'elle pousserait les hauts cris si elle savait que je partais à l'aventure au milieu de nulle part et que je comptais dépenser de l'argent dans un hôtel ou une cabane. Ma mère, qui s'échinait à faire fonctionner un luminaire pendant que Boule Puante lui jetait des billes dans les genoux, dit simplement :

– Super, amusez-vous bien.

Violet et moi allâmes jusqu'à mon aérocar et montâmes dedans. Je lui demandai si elle voulait prévenir son père et elle me dit que non, qu'il était très protecteur et qu'il se ferait un sang d'encre s'il apprenait qu'elle partait pour le week-end. Avec moi, par-dessus le marché. « Super », me dis-je. Nous décollâmes et remontâmes le tube d'expulsion. J'attendais ses indications. Elle les transmit directement à l'aérocar, qui accusa réception. Je le sentis calculer un plan de vol.

– Tu vas mieux, alors ? demandai-je.

– Il continue de m'arriver des trucs – des paralysies – et puis, quelques heures plus tard, ça s'arrête et je retrouve ma mobilité. Cette histoire de transmission m'inquiète, par contre. C'est nouveau. Je ne savais pas. As-tu essayé de m'envoyer des messages ?

– Quelques-uns, mentis-je. Rien d'important. (Je n'étais pas fier de moi.) Tu pourrais peut-être me renvoyer tes souvenirs.

Elle me dévisagea, longuement.

– Tu peux m'aider, dit-elle. A me préparer. J'ai rêvé que j'apprenais à vivre sans l'interface. Si seulement on pouvait l'éteindre...

– Ce n'est pas possible ?

– Pas la mettre en veille, l'éteindre. Complètement, je veux dire. A l'heure actuelle, c'est impossible. Elle remplace trop de fonctions élémentaires. Elle est connectée à tout. (Elle leva les yeux au plafond.) Tiens, encore un détail. Je suis en train de perdre la bataille. L'autre jour, Nina a remarqué que j'écoutais beaucoup de requiem ces derniers temps. Elle m'en a suggéré d'autres. Et voilà le plus triste.

– Oui ?

– Ils m'ont plu. Elle a cerné mes goûts. Je suis rentrée dans leurs courbes démographiques. Ils peuvent prédire ce que je vais aimer ou non. (Elle soupira.) Ils sont sur le point de gagner. J'essaie de résister, mais ils sont à deux doigts de gagner.

Je ne savais pas quoi dire.

– Accroche-toi, fis-je simplement.

Elle me regarda, sourit et dit :

– Mon héros.

Je ne voulais pas être son héros.

Je me tournai vers elle, et elle me sourit comme une poupée cassée.

Je tendis le bras et montai la climatisation.

C'était une ville étudiante perdue dans la montagne. Ses flancs étaient couverts de câbles et de gouttières. Elle avait réservé une chambre dans un hôtel, le genre d'établissement miteux qui fait irrésistiblement penser à des légendes urbaines.

Nous allâmes trouver le gérant.

– J'ai fait une réservation, annonça Violet.

– A quel nom ? dit-il en me regardant.

– M. et Mme Smith, devinai-je.

Violet sourit, comme si nous étions dans une comédie musicale et qu'elle était sur le point de se mettre à chanter.

Le type hocha la tête.

– Ouais, je l'ai. Smith. Hmpf... Si vous vous appelez Smith, je suis Betty Grable. (Il prit un scanner.) Faites voir vos mains. Que je vous donne le code de la serrure.

Je m'efforçai de sourire.

Nous montâmes à notre chambre. Violet dit :

– Charmant, ce petit hôtel. Je ne savais pas que le stuc jaunissait aussi bien.

Elle effleura la porte qui s'ouvrit à son contact. Elle entra. Je ressortis chercher nos bagages dans l'aérocar. Ce n'était pas désagréable d'être l'homme qui portait les bagages. Quand je la rejoignis, elle était en train d'inspecter la chambre. Elle soulevait les couvertures, examinait les draps.

– Vérifie le matelas, dit-elle. Parfois, ils cousent des cadavres à l'intérieur.

– D'accord, fis-je. Mais c'est toi qui retires les morpions des savonnettes.

Elle fit un tour d'horizon.

– Tout à fait le genre d'hôtel où descendent les personnages de romans apocryphes lorsqu'ils tombent en panne d'aérocar au milieu d'une tempête.

– C'est vrai, reconnus-je.

– Avec des serpents à sonnette crevés qui sèchent sur la tringle du rideau de douche. Et un homme avec des instruments métalliques à la place des mains, assis dans la chambre voisine. Tu sais, avec des chihuahuas dans le miniréfrigérateur.

On sortit faire un tour en ville. Il n'y avait pas grand-chose à voir hormis des lampadaires et du béton. En contrebas, on voyait scintiller les lumières des niveaux supérieurs de la banlieue qui s'étiraient de part et d'autre à perte de vue, en faisant le tour de la montagne. Nous portions des lunettes de vision nocturne et des manteaux, car nous étions tout de même en altitude et il faisait un peu froid. Le genre de froid qui donne une texture granulée à la peau quand vous la caressez. Personnellement, j'aimais bien. Je me disais que ce séjour avec elle ne serait peut-être pas si désagréable, en fin de compte.

Des cris lointains s'échappaient du campus.

Nous entrâmes dans une pizzeria et commandâmes des pizzas. Interrogé à propos des cris, le serveur nous apprit qu'il s'agissait d'une manifestation. Il ignorait quel en était le motif. Nous mangeâmes donc notre pizza sur place, avec un grand cacao chaud.

Le cacao me fit du bien. J'aurais bien voulu prendre un petit Kahlua par-dessus, mais je crois que le seul alcool qu'ils avaient en rayon devait leur servir à nettoyer le carrelage. J'avais besoin d'un verre. Subitement, je pris conscience que j'étais terrorisé à l'idée de ce qui m'attendait.

Nous rentrâmes à l'hôtel et effleurâmes la porte. Il nous restait la nuit entière à passer.

A peine avait-on franchi le seuil qu'elle m'empoigna, comme si c'était romantique. Elle me saisit par le revers de mon manteau, me plaqua contre elle et m'embrassa farouchement.

– Je veux tout connaître, Titus, me chuchota-t-elle à l'oreille.

– Ah bon ? dis-je.

J'espérai qu'elle déchiffrerait le signal « STOP ! ».

Elle ôta son manteau et le lança sur une chaise.

– Je ne suis pas tout à fait novice, me confia-t-elle. J'ai eu un petit ami, une fois, qui jouait de la guitare. Il m'a entraînée à faire un ou deux trucs avant que je m'aperçoive que ses paroles ne rimaient pas.

Elle s'assit sur le lit. Sa façon de parler me donnait l'impression que toute la partie muqueuse de mes poumons s'était changée en pierre et que quelqu'un l'avait jetée dans un puits très profond.

– Mais je n'ai encore jamais fait la chose proprement dite.

Ma poitrine continuait sa dégringolade, additionnée, peut-être, de cristaux de glace sur le dessus.

– Viens t'asseoir près de moi.

Je m'exécutai.

Elle m'attrapa maladroitement par le cou. Elle m'embrassa à pleine bouche, et je commençai à l'embrasser en retour.

Elle avait déjà une main sur ma nuque, l'autre vint se poser sur ma cuisse. Le gros de ma poitrine – les poumons, les bronches – poursuivait sa chute au fond du puits, en accrochant la paroi ici et là, récoltant un peu de terre au passage, roulant sur elle-même avec un drôle de bruit mouillé. J'avais hâte que cela se termine.

Elle me malaxait avec la main, et je restais assis là, inerte. Je ne la tenais même plus ; j'étais en appui sur les bras, les mains posées sur le lit. Elle me caressait tant et plus.

– Waouh ! soufflai-je.

– Je veux le faire pour la première fois avec toi. Je crois que j'en ai eu envie dès que nous avons commencé à sortir ensemble. Tu es si beau. Tu as vécu la vie dont j'ai toujours rêvé – une vie parfaitement normale. Nous pourrions être un couple normal, en vacances à la neige. Nous pourrions même louer des skis. Les jeunes normaux, tu sais, ils partent au ski, parfois, pour le week-end.

– Chaque année, dis-je, nous partons faire du ski avec mes parents. Une fois, nous sommes allés en Suisse.

– Quelle chance, dit-elle. Tu sais qu'ils ont fermé leur frontière maintenant, pour les Américains ? Mais ne nous laissons pas distraire.

– Tu as déjà fait du télémark ?

Elle m'embrassa sur la bouche pour me faire taire. Elle me tenait par les cheveux, désormais, ce qui n'aidait pas vraiment.

– Je t'aime, Titus, chuchota-t-elle. Ça va être la plus merveilleuse des nuits. On va se catapulter au septième ciel.

Sa main continuait à s'affairer, sans grand résultat. J'essayais de reculer, mine de rien, mais j'avais toujours son bras autour du cou. Une lueur d'inquiétude passa dans ses yeux. Je me sentis mal, parce que ce n'était pas sa faute si elle allait mourir. Je voulus lui sourire, mais rien à faire.

– Qu'y a-t-il ? Je ne m'y prends pas bien ?

– Ce n'est rien, dis-je.

– Si, qu'est-ce qu'il y a ?

– Rien du tout.

– Je le vois bien, insista-t-elle.

Elle poursuivit ses efforts et, bien pire, tenta de me dire des trucs cochons comme : « Viens, chéri, je veux te sentir en moi » et tout ça.

En fin de compte, elle répéta :

– Qu'y a-t-il ?

Je me levai.

– Que se passe-t-il ?

– Je crois qu'il ne vaudrait mieux pas.

– Pourquoi ? Quel est le problème ?

Je pris une grande inspiration.

– Je n'arrête pas de t'imaginer morte. C'est comme... (J'aurais voulu m'arrêter là. Mais elle attendait la suite et, pour quelque raison stupide, peut-être parce que j'étais en colère, je terminai ma phrase :) C'est comme me faire peloter par un zombie, OK ? Voilà ce que je ressens.

Elle devint livide.

Je me sentais dégueulasse.

– D'accord, dit-elle. Ce n'était pas une bonne idée.

Elle paraissait toute petite, recroquevillée au bord du lit.

Je me sentais au-dessous de tout.

– Je suis désolé, dis-je. Je suis vraiment désolé. Je ne voulais pas dire ça.

– Qu'est-ce que j'ai fait de travers ?

– Rien.

Elle ramassa le coin du couvre-lit et le frotta machinalement du bout des doigts. Elle le lâcha. Elle me regardait du coin de l'œil, comme on dit.

– Il paraît qu'on peut trouver autant d'échantillons d'ADN qu'on veut sur les couvre-lits des hôtels, dit-elle.

Je restais debout, sans bouger.

– J'ai voulu passer les vacances de printemps sur la Lune pour voir comment vivaient les gens, dit-elle. Quand je t'ai connu, je me suis dit : « Je vais avoir un petit ami, comme n'importe quelle fille normale. » Les gens normaux savent s'amuser. C'est naturel, pour eux. Alors, le premier soir, quand... ce type... (Elle se frappa l'arrière du crâne.) C'était comme une punition. Le premier soir. Ce type. Le pirate. Comme s'il fallait que je sois punie pour avoir osé y croire.

Son visage reprenait un peu de couleur. Elle poursuivit :

– Ensuite, nous nous sommes retrouvés à l'hôpital. Ils m'ont prise à part et ils m'ont dit : « Votre interface est endommagée. Il y a un risque pour votre vie. » Alors je suis redescendue, je t'ai emmené quelque part et je t'ai embrassé. Et pendant tout ce temps, je me disais : « Maintenant, je suis en vie. J'ai quelqu'un. Je ne suis pas toute seule. Je suis en vie. »

– OK, dis-je. Écoute, je suis sincèrement – sincèrement désolé, Violet.

– « Désolé », tu veux dire ?

Elle leva les yeux vers moi, en haussant les sourcils, et nous comprîmes tous les deux que c'était terminé, que je venais de rompre avec elle.

– Ouais, dis-je. « Désolé. »

Elle réfléchit un moment. Puis elle dit :

– Je voulais que quelqu'un me connaisse. Je pensais que ce serait un peu comme jeter l'ancre quelque part, enfin. (Elle y réfléchit de nouveau.) Je suis venue au monde dans une pièce où il n'y avait que des machines. Comme nous tous. Mes parents étaient de l'autre côté d'une baie vitrée quand on m'a sortie du liquide amniotique. Je suis venue au monde toute seule. (Elle ramassa sa chaussure et gratta la terre collée à la semelle.) Je ne voulais pas en partir de la même façon.

– Tu vois ? l'accusai-je. C'est exactement ça ! C'est ça que je ne supporte pas. Ce flot de culpabilité que tu déverses autour de toi. C'est insupportable.

– Excuse-moi d'être en train de mourir, riposta-t-elle.

– Non, je ne peux pas accepter ça. Tu... Depuis le début, tu t'es joué le coup de l'amour éternel, et bien sûr j'étais censé tomber amoureux de toi pour toujours. Sauf que moi, je croyais qu'on sortirait ensemble, simplement, et peut-être que ça durerait un mois ou deux, mais pour toi, j'étais *le* garçon normal, le couillon normal par excellence, avec ses couillons de copains et, ô miracle, voilà que tu te retrouvais dans l'univers merveilleux des idiots qui dansent et qui couchent ! Tu voulais te frotter à des personnes ordinaires. T'accrocher à ce pauvre type et le prendre de haut avec ses amis, tout en nous enviant, au fond de toi, sans te demander une seconde qui nous étions vraiment, ou quels pouvaient être nos problèmes, sans voir que, OK, nous n'étions pas concernés par l'environnement ou je ne sais quoi, mais que nous avions nous aussi nos propres soucis – et maintenant, voilà que... Que tu... Tu vois ?

– Non, dit-elle très doucement, d'une voix vibrante de colère. Je ne vois pas.

– Cela fait à peine deux mois que nous sortons ensemble. Et je suis supposé me comporter comme si nous étions mariés. Deux mois ! Nous aurions dû rompre il y a des semaines. Je l'aurais fait, sans ta...

– Sans ma quoi ?

– Je n'ai pas signé pour te rester éternellement fidèle après ta mort. Nous deux, ça dure depuis deux mois, ok ? Deux mois.

Il y eut un long silence.

– C'est tout ? demanda-t-elle.

– Eh bien, c'était pendant les vacances de printemps. Ça fait avril, mai...

– Ce que je voulais dire, c'est : tu as fini ?

– Et voilà, tu vas le prendre mal.

– Rentrons.

– Quoi ?

– Retournons dans ton joli aérocar tout neuf et ramène-moi à la maison.

– Qu'est-ce qu'il a, mon aérocar ?

– A toi de me le dire. Je te sens sur la défensive.

– Qu'est-ce qu'il a ?

– Le bouc se pisse sur la figure pour attirer la brebis. Et elle aime ça.

– Oh, va te faire foutre. Je suis censé comprendre quoi ?

– Sais-tu ce qui se passe en Amérique centrale ?

– Et c'est reparti...

– Sais-tu pourquoi l'Alliance globale est en train de pointer tous ses missiles dans notre direction ? Non. Pratiquement personne ne le sait. Sais-tu pourquoi notre peau se détache ? Es-tu au courant que certaines banlieues se sont purement et simplement volatilisées, sans la moindre explication ? Que tout le monde ignore où elles sont passées, ou ce qui a pu leur arriver ? Sais-tu que la Terre est morte, que plus rien n'y pousse en dehors de ce que nous plantons ? Non. Non, non et non. Nous ne savons rien de tout cela. Nous organisons des goûters avec nos ours en peluche. Nous faisons de la luge. Nous profitons de notre jeunesse. Nous prenons ce qu'on nous donne. C'est ainsi.

J'empoignai mon sac de marin.

– Tu finiras ton... ton sermon, dans l'aérocar, dis-je. Il nous faut deux heures pour arriver chez toi. (J'ouvris la porte.) Peut-être que tu pourrais me fredonner un ou deux chants funèbres, aussi.

Elle attrapa son propre sac.

– Je suis en train de me rendre compte que je te déteste, m'expliqua-t-elle, en détachant soigneusement chaque syllabe.

– Tu veux régler la chambre, chérie, ou tu préfères que je m'en occupe ?

Elle prit conscience qu'il allait tout de même falloir payer, et lâcha :

– Oh, merde.

– T'en fais pas, chérie. J'suis riche comme Crésus.

Je payai. En quittant la chambre, je sentis cinq cent vingt dollars disparaître de mon compte. Je marchai jusqu'à l'aérocar. Je lui ouvris la portière. Elle grimpa à bord. Nous tassâmes les sacs entre nous deux.

Nous prîmes le chemin du retour. Il faisait nuit. Une colère presque palpable régnait dans l'habitacle. L'atmosphère vibrait d'électricité. Les lumières du tableau de bord palpitaient, dérisoires. Nous foncions à travers la nuit comme poussés par la haine.

Elle pleurait. Cela la rendait laide. Elle croisa les bras sur son ventre. Je m'émerveillai de la trouver si laide. Une de ses mains pendait, inerte, comme une nageoire.

Je compris qu'elle était paralysée.

Je fermai les yeux. Il n'y avait que de l'air entre nous. J'aurais pu m'excuser. Je faillis le faire. Je l'aurais fait si je n'avais pas eu peur d'être tourné en dérision, ou pris de haut, qu'elle me dise par exemple à quel point ç'avait été drôle pour elle de nous observer et d'essayer de se mettre à notre niveau. Elle paraissait si seule, assise dans son siège, sanglée dans son harnais, en serrant sa pauvre main-nageoire entre ses jambes pour que je ne voie rien.

J'ignore comment je réussis à tenir pendant ces deux heures interminables. Je m'efforçai de penser à autre chose. *Le moral à zéro ?* disait un bandeau publicitaire. *Plus pour longtemps, plus quand vous aurez découvert les économies fantastiques qui vous sont propo-*

sées aux grands soldes annuels d'été chez Weatherbee &
Crotch. C'était un peu embarrassant, mais je me commandai un pull. Je le fis très prudemment, au cas où
elle aurait surveillé mon interface.

La nuit n'en finissait pas.

Nous arrivâmes enfin à son tube d'expulsion et
descendîmes tout au fond, jusqu'à sa banlieue. Nous
nous engageâmes dans sa rue. Il y avait des rues, au
sol. Elles étaient éclairées par des lampadaires.

Devant chez elle, je descendis de l'aérocar. Son
père était à la fenêtre. En me voyant, il dut comprendre qu'elle lui avait menti sur l'endroit où elle
allait. Il sortit sur le perron. L'aérocar flottait au-dessus de l'allée. J'en fis le tour pour lui ouvrir la portière. Elle fit mine de descendre, mais son bras inerte
lui compliquait la tâche. Je lui tendis la main.

Elle refusa de la prendre. Elle hésita. Elle avait
peur de tomber.

Son père vit ce qui se passait et se précipita. Il la
prit par la main.

Avec son autre main, elle saisit son poignet et se
dégagea puis libéra sa main de celle de son père. Elle
se débrouilla pour descendre seule, sans l'aide de personne.

Elle se tint entre nous deux, nous regardant tour à
tour.

Je pivotai et retournai du côté conducteur. Je
grimpai à bord et décollai. Je pris le chemin de la
maison.

C'est seulement plusieurs mois plus tard que je pris conscience que la dernière chose qu'elle m'avait dite, les dernières paroles que j'entendrais jamais de sa bouche étaient : « Oh, merde. »

51,5 %

Écoute, me dit-elle dans un message le lendemain, *je ne t'appelle pas pour te dire que je suis désolée, parce que je ne le suis pas. Pas pour tout, en tout cas.*

Mais je tenais à te dire que je t'aime, et que tu as tout faux si tu t'imagines que je te prends pour un imbécile. J'ai toujours pensé que tu avais beaucoup de choses à m'apprendre. Je n'attendais que cela. Tu es différent des autres. Tu as des réflexions qui prennent tout le monde à contre-pied. Tu crois que tu es stupide. Tu voudrais l'être. Mais les autres auraient beaucoup à apprendre de toi.

Et j'aimerais que nous parlions, si tu en as envie. Nous nous sommes dit des choses blessantes, des choses stupides, des choses que nous ne pensions pas. Mais il n'est jamais trop tard pour changer. Jamais. Jusqu'au dernier jour…

C'était son message.

– Oh, rien, dis-je à Link qui me regardait d'un air interrogateur.

On sortit pour en massacrer quelques-uns sur le terrain de basket.

Après la fin des cours, Link, Marty et moi allâmes passer quelques semaines chez une tante de Marty sur l'une des lunes de Jupiter. Ce fut chouette. Nous passâmes un bon moment. A cette époque, je sortais avec Quendy, et elle me manquait. Nous rencontrâmes des filles sur Io, mais je discutais par interface avec Quendy aussi souvent que je le pouvais, malgré l'énorme délai de transmission qui existait entre les planètes. Je lui disais à quel point elle me manquait.

Nous eûmes de bonnes soirées, cet été-là, à notre retour sur Terre. Marty avait acheté une énorme piscine gonflable Top Quark, avec le bassin dans le ventre de Top Quark, qui flottait au-dessus de sa maison. Très amusant.

Marty s'était également fait poser un tatouage vocal Nike, un truc génial grâce auquel il plaçait automatiquement la marque Nike dans chacune de ses phrases. Il avait dû débourser un sacré paquet pour cela. C'était hilarant, parce qu'on ne comprenait pratiquement plus rien à ce qu'il disait. Cela donnait : « Putain, Nike, c'était délire, on est arrivés Nike là-bas, tu vois... » et ainsi de suite.

Tout n'allait pas pour le mieux, cependant, car la plupart d'entre nous perdaient leurs cheveux, et notre peau s'en allait par plaques. Et puis, il y eut cette affection qui frappait les victimes de la mode. Les malheureux se figeaient brusquement, sans raison. Au début, les gens crurent à un virus et accusèrent des groupuscules comme la Coalition de la Pitié, mais on découvrit par la suite qu'il s'agissait en réalité d'un nouveau syndrome intitulé Feedback Nostalgie. Les malades éprouvaient une nostalgie pour des modes de moins en moins anciennes, jusqu'à ce qu'ils finissent par éprouver la nostalgie du temps présent et se retrouvent complètement paralysés par le *feedback*. C'est ce qui arriva à Calista et à Loga. Nous fûmes très inquiets pour elles pendant quelques jours. Nous savions qu'elles allaient se rétablir, mais quand même, quoi. Marty répétait : « Putain de bordel de merde, c'est vraiment Nike trop l'angoisse. »

Le soir du jour où elles se retrouvèrent paralysées, je ne réussis pas à trouver le sommeil. Je n'arrêtais pas de penser à Violet et à sa main-nageoire inerte. Je la revoyais en train de se pincer la jambe sans rien sentir. Je me la représentais allongée, immobile, mais, dans mon esprit, elle avait les yeux ouverts.

Ce fut aussi lors de cet été-là que les abeilles sortirent des murs des banlieues et devinrent folles, à la stupéfaction générale.

Il s'avéra que mon aérocar n'était pas de ceux dans lesquels montaient mes amis. J'ignore pourquoi. Il était pourtant suffisamment spacieux, mais, pour une raison inconnue, les autres ne l'entendaient pas de cette oreille. Parfois, j'en éprouvais une certaine lassitude. Un peu comme si j'achetais tous ces trucs pour être cool, mais que le cool ne cessait de me fuir, sans jamais être tout à fait à ma portée.

J'avais l'impression de lui courir après depuis un sacré bout de temps.

Le fond

Un soir au dîner, après être revenu de son expédition aventure avec son équipe de management, mon père voulut nous montrer les images. Il clamait haut et fort que ç'avait été formidable, très rafraîchissant, exactement ce qu'il fallait pour promouvoir l'esprit d'équipe et bousculer un peu les blocages hiérarchiques. Ils étaient partis à la chasse à la baleine. Rien qu'eux, un vieux bateau et les baleines, ces dernières étant intégralement recouvertes d'un matériau inorganique afin de pouvoir vivre en mer.

Il diffusa donc ses images à toute la famille. Il racontait au fur et à mesure :

– Bon, là, nous sommes dans la baleinière. Nous avons quitté le bateau principal. Nous avons repéré une baleine, et nous ramons pour la rejoindre. C'était impressionnant, vraiment. Vous sentez les embruns ? J'adorais ça. J'en prenais sans arrêt dans les yeux. Là, c'est… ah, c'est Dave Percolex, le vice-président des relations clientèle. Il avait la responsabilité du rouleau de corde. Vous le voyez vous faire signe ? Salut, Dave. Celui qui tient le harpon, là, c'est le directeur de nos bureaux à Phoenix. Donc, nous ramons comme des forcenés. La mer était forte, ce jour-là. Vous voyez, tout le monde crie qu'il faut ramer plus vite. « Nage, nage, nage ! » Tiens, là, c'est notre nouvelle interne qui se penche sur les rames. Salut, Lisa !

Tout cela ne m'intéressait pas beaucoup, sans compter que j'attrapais le mal de mer à regarder ces images qui montaient et descendaient. L'eau était grise, le ciel aussi, et je crois que mon père avait dû avoir le mal de mer pendant son expédition, parce que la sensation faisait partie de la retransmission.

– Regardez ! Là, nous allons harponner la baleine. Oh, mon Dieu, c'est parti ! Vous sentez cette traction ? C'était impressionnant, vraiment. Alors, ça, c'est ce qu'on appelle les « montagnes russes à la Nantucket ». L'idée, c'est de se laisser traîner par la baleine jusqu'à ce qu'elle s'épuise. Ensuite, on se rapproche et on lui transperce le poumon. Vous voyez ? Et là, c'est un peu plus tard. Jeff Matson lui donne le coup de grâce. C'est notre PDG Waouh ! Gare au souffle, hein ? (La baleine lâcha un geyser de sang par son évent.)

– Comment va sa femme ? demanda ma mère.

– La femme de Jeff ? Elle va bien, je crois. Elle va bien. Ah, là nous avons ramené la baleine le long du bateau. C'était le meilleur moment. Maintenant, il reste à la dépecer, c'est-à-dire découper son lard en plaques géantes. Je peux vous dire que ce n'est pas de la tarte. Chaque plaque est suspendue à un crochet et enfournée dans une chaudière afin d'être, heu... réduite par le feu et la chaleur, tout ça. C'est dur, et étouffant. Je n'aurais pas voulu être à la place des deux internes qui sont en train de s'y coller. Maggie et Rick. De braves petits. Vraiment.

Une voix dit : *Elle tenait à ce que tu sois prévenu quand tout s'arrêterait.*

Je l'entendais à peine par-dessus les cris de l'équipage et le fracas des vagues contre la carcasse de la baleine. *Elle voulait que je t'avertisse quand ce serait terminé.*

– Bon, poursuivit mon père. Là, nous sommes en train de porter un toast. Et à l'arrière-plan, vous pouvez voir... c'est une sorte d'huile spéciale qu'on sort de la cavité cérébrale. Il faut carrément se glisser dans la cervelle pour l'extraire avec des seaux. Vous voyez ? Les deux gars en combinaison de caoutchouc. C'est un sale boulot, de ramper comme cela dans le cerveau. C'est Byp et John, deux autres de nos internes. Vous voyez John, avec le seau ?

Elle tenait à ce que je te dise que tu n'étais pas obligé de venir la voir si tu n'en avais pas envie.

Je cherchai qui, sur le bateau, avait prononcé ces

mots, car ils provenaient de mon interface, mais j'étais incapable de tourner la tête, puisque c'était en réalité la tête de mon père, ses souvenirs, et qu'il avait de l'eau salée plein les yeux. Je ne pouvais que fixer cette vice-présidente de quarante-cinq ans qui m'excitait furieusement. Je m'efforçai de détourner le regard de son décolleté alors qu'elle se penchait pour ramasser une sorte de pelle à dépecer, et j'essayai de me concentrer sur la voix. Mais, impossible de tourner la tête et, de toute façon, cela ne venait ni des internes qui récoltaient l'huile de la baleine, ni des mouettes qui venaient se poser sur le pont maculé de graisse.

C'était la voix du père de Violet.

Je te mets notre adresse en pièce jointe, au cas où tu l'aurais oubliée. Elle m'avait dit de te prévenir quand tout serait terminé.

– Le reste n'a aucun intérêt, dit mon père en interrompant la diffusion.

– Attendez ! m'écriai-je.

Tout le monde se tourna vers moi.

– C'était qui, la dame, à la fin ? demanda Boule Puante. Elle m'a fait sentir tout drôle.

– Oui, dit ma mère d'une voix menaçante. Qui était-ce ?

– Et voilà, c'était notre excursion, conclut mon père.

J'essayai de remonter la ligne du père de Violet, mais il avait coupé la communication. Il ne restait que son message, avec leur adresse en pièce jointe.

Je me levai.

– Je dois sortir, dis-je. Je viens de recevoir un message bizarre de la part de Violet... Je ne sais pas, j'ai l'impression qu'il est arrivé quelque chose.

– Tiens ! Il y a longtemps que nous n'avions plus entendu ce nom, remarqua mon père.

– Peut-être parce que « nous » étions en train de nous pavaner sur un baleinier, à loucher sur la vice-présidente des ventes. (Ma mère avait perdu tellement de peau qu'on lui voyait les dents même avec la bouche fermée.) Hein, Pete-à-la-jambe-de-bois ?

Je pris mon aérocar et décollai. Je sortis de notre bulle, m'engageai dans le tube principal, quittai notre quartier pour rejoindre le tube d'expulsion. Je jaillis à la surface. D'autres personnes me dépassaient en rubans lumineux. Les nuages renvoyaient une lueur verdâtre, et une neige noire tombait.

C'était à des kilomètres et des kilomètres. C'était tellement loin.

Aux nouvelles, on parlait d'explosions souterraines inexplicables dans le New Jersey et d'une émeute qui s'était déclenchée dans un centre commercial en Californie, quelques heures plus tôt, et qui était en train de dégénérer. Le reportage en direct montrait des gens se piétinant les uns les autres pour se mettre à l'abri, des enfants qui tombaient, des employés qui se fracassaient des chaises sur la tête et un cadavre flottant dans une fontaine au son de la valse qui sortait des haut-parleurs.

J'avais entré l'adresse de Violet dans la mémoire de mon aérocar et je le laissai voler tout seul. Je n'étais pas d'humeur à prendre le manche. Je n'avais pas le..., vous savez, la concentration nécessaire. Même le simple fait de rester assis m'était pénible. J'aurais voulu marcher, faire les cent pas pendant tout le trajet. J'avais des fourmis dans les jambes.

Alors que je m'extrayais de mon aérocar, la porte d'entrée de la maison s'ouvrit. Son père se tenait là. Il laissa la porte ouverte et rentra à l'intérieur. Je remontai l'allée. Je restai indécis une minute devant le seuil. Il faisait noir dans la maison. Puis j'entrai.

Le living-room était désert. On y trouvait toujours les mêmes piles de livres partout, les mêmes affiches, et quelques plantes vertes. J'appelai : « Hé ho ? », mais personne ne répondit, aussi je m'engageai dans le couloir vers la chambre de Violet.

Son père était debout dans la cuisine, accoudé au plan de travail. Il portait son sac à dos d'interface et ses lunettes spéciales sur lesquelles s'affichaient des mots. Il leva la tête vers moi en m'entendant entrer.

– Que s'est-il passé ? murmurai-je.

Il m'indiqua le couloir. Le couloir était sombre, avec une moquette qui paraissait tachée. Je le suivis jusqu'au fond, j'entrai dans sa chambre et je la vis.

Je m'arrêtai au pied de son lit. Son lit flottait dans les airs. Elle était couverte de disques ; elle en avait sur le visage et sur les bras. Elle semblait très, très pâle. Des écrans de contrôle affichaient des signaux derrière elle, avec des bips et tout ça.

On lui avait rasé la tête, et elle n'avait plus qu'un léger duvet sur le crâne. Des cicatrices sur son cuir chevelu indiquaient par où l'on avait tenté de la réparer. Elle avait les yeux ouverts.

C'était une sensation étrange, de se retrouver dans cette chambre avec elle. Comme s'il s'agissait d'une statue de bois et non d'une personne réelle. J'aurais aussi bien pu être seul dans la pièce. J'avais beau la contempler, je ne ressentais rien. Je ne me rappelais pas à quel point j'aimais rire avec elle, à quel point j'avais voulu l'embrasser et la presser contre moi. Je m'étais attendu à éprouver une sensation tragique, mais, en réalité, je n'éprouvais absolument rien.

Son père entra et s'assit dans un fauteuil derrière moi.

Je restai debout.

Il remua dans son fauteuil. J'entendis grincer son sac à dos.

Je gardai les yeux fixés sur elle.

– Son discours s'embrouillait de plus en plus, dit-il.

Vers la fin, elle ne pouvait plus se permettre cette ironie mordante dont elle était friande. Vos *bons mots* ne peuvent plus faire mouche quand chaque son est une épreuve. A peine si elle réussissait à se toucher le palais avec la langue. Dans ces moments-là, elle donnait des coups de pied dans les choses pour évacuer sa frustration. Jusqu'au jour où ses jambes ont complètement cessé de fonctionner, à leur tour. Elle s'est retrouvée prise au piège. Je le voyais dans ses yeux. Pendant un temps. Elle devenait également… (Il soupira.) Perdue. Confuse. Son hippocampe était atteint, et sa mémoire s'embrumait. Elle me posait des questions à propos de sa mère. Elle parlait énormément de toi. Le pire, c'est quand on voyait qu'elle était réveillée, presque alerte, mais qu'elle savait que plus rien ne fonctionnait. Emprisonnée. Elle était emprisonnée. Dans une statue, pareille au Sphinx. Regardant à travers les yeux. A ce stade, son esprit n'était plus qu'une petite mouche affolée entourée de murailles imprenables.

Je me retournai. Des mots se déroulaient devant ses yeux.

Il ne leur prêtait pas attention.

– Oh, murmurai-je.

– Sa mère et moi, dit-il en regardant ses chaussures, ne voulions pas qu'elle porte une interface. Je n'en avais pas. Sa mère non plus. Nous préférions nous en passer.

« Un jour, après le départ de sa mère, quand j'ai dû trouver du travail, je me suis rendu à un entretien d'embauche. J'étais un excellent candidat. J'avais deux hommes en face de moi. Ils me posaient toutes sortes de questions. Et puis ils se sont tus, en se contentant de me fixer. Au bout d'un moment, j'ai commencé à me sentir mal à l'aise. Ils se sont regardés, et ils ont échangé des petits sourires en coin.

« Je me suis rendu compte qu'ils m'avaient appelé à l'interface et que je n'avais pas répondu. Ils trouvaient cela amusant. Risible. Qu'on puisse refuser de porter une interface. Alors, ils communiquaient à mon sujet en ma présence. Ils se moquaient de moi parce que je ne pouvais pas les entendre. Ils partageaient leurs impressions sur moi, sous mes yeux.

« Je n'ai pas eu le poste.

« C'est ce jour-là que j'ai compris que ma fille aurait besoin de l'interface. Pour avoir sa place en ce monde. Je lui ai demandé si elle en voulait une. Ce n'était qu'une petite fille. Elle a dit oui, naturellement. Elle a eu son interface.

« Si je m'en étais tenu à ma première idée...

Il leva la main, comme pour soupeser les possibilités.

– D'après eux, me dit-il, c'est l'implantation tardive qui a posé problème. Le cerveau était déjà réglé pour opérer de lui-même. L'implantation était non conventionnelle. Ils m'ont dit aussi que si j'avais acheté un meilleur modèle, l'adaptation se serait peut-être mieux déroulée. Je me souviens avoir posé la question, à l'époque. (Sa voix devint un mur-

mure.) J'ai lésiné. J'ai lu des enquêtes comparatives et je me suis dit : « Où est la différence ? » (Il leva la tête vers moi.) Qu'est-ce qui pouvait arriver ?

Il me regardait fixement.

– Je regrette, dis-je.

– Quoi donc ? voulut-il savoir.

– Ce que j'ai fait.

– Et pas ce que tu aurais pu faire ?

Je hochai la tête.

– Si, ça aussi.

– Les regrets, dit-il, ne coûtent pas grand-chose.

– On ne peut pas m'en vouloir.

– Ah non ?

– Ce n'était pas ma faute.

– C'est toi qui l'as entraînée dans cette boîte.

– Ce… C'est parce qu'elle voulait vivre. Elle me l'a dit. Elle voulait se sentir vivante.

Pointant le doigt sur sa fille, il siffla :

– Tu vois le résultat ?

Je me retournai vers elle.

Elle était parfaitement calme. Elle ne bougeait pas. On entendait sonner un appareil. Je me souvins d'elle à l'hôpital sur la Lune. En train de rire. En train de lancer des seringues hypodermiques sur le dessin d'un homme sans peau.

Et puis, il se mit à me bombarder de bribes de souvenirs.

Je la vis s'étrangler lorsque sa gorge cessa partiellement de fonctionner. Je la vis étendue à moitié sur le lit, à moitié par terre, entortillée dans ses draps, les yeux ouverts mais ne cillant pas.

Je la vis décocher des ruades dans le matelas, mugissant comme un veau à l'abattoir.

Je la retournai avec ses mains à lui, je la roulai sur le ventre, et le fond de son pyjama était brun et humide de merde. J'entrepris de la nettoyer.

Je vis ses yeux qui m'imploraient. Une odeur d'urine, âcre et tiède, flottait dans la chambre.

Je toussai, et sortis de ces souvenirs.

Il était assis là, à me dévisager.

– C'est gentil d'être venu, dit-il. Merci pour le dérangement.

– Arrêtez.

– Tu as fait ton devoir. Pourquoi ne rentres-tu pas chez toi, jouer à tes petits jeux ? Nous sommes au pays de la jeunesse. Au pays des opportunités. Va, et prends ce qui te revient.

– Je ne suis pas un salaud, dis-je.

– Nous autres Américains, poursuivit-il, ne nous intéressons qu'à la *consommation* de nos produits. Nous nous fichons bien de savoir comment ils sont fabriqués, ou ce qui leur arrive (il désigna sa fille) lorsque nous n'en voulons plus. Lorsque nous les jetons au rebut.

– C'est faux, protestai-je. Je ne l'ai pas jetée.

– Je crois que le pire, dit-il, c'est que tu l'as poussée à s'excuser. Vers la fin. Je n'ai rien dit, mais elle m'a raconté qu'elle s'était excusée auprès de toi pour ce qu'elle t'avait dit, pour la manière dont elle s'était comportée. Tu l'as amenée à s'excuser pour sa maladie. Pour son courage. Tu l'as fait se sentir coupable de mourir.

– Je suis désolé.

– Tu es désolé. (Il se leva. Il était plus grand que moi. Maigre, vraiment maigre, mais grand, avec des mains comme des battoirs.) Pourquoi ne vas-tu pas retrouver tes amis, ceux qui se moquaient d'elle ?

– Ils ne se moquaient pas.

– C'est sans doute bientôt l'heure d'un match, ou d'un gala. Va, petit garçon. Va t'amuser parmi les Éloïs.

– Les Éloïs ? Je ne comprends pas.

– C'est une référence, fit-il avec dédain. *La Machine à explorer le temps*. H. G. Wells.

Je fis un pas vers lui.

– Qu'est-ce que ça veut dire ? Je commence à en avoir marre de…

– Lis-le.

– Je commence à en avoir marre de m'entendre dire que je suis stupide.

– Alors lis-le, et tu sauras.

– Dites-le-moi.

– Lis-le.

– Dites-le-moi.

– Tu n'as qu'à effectuer une recherche.

– Vous pouvez me le dire.

– Quand vas-tu te décider à ouvrir les yeux ?

– Allez vous faire voir ! criai-je. Allez vous faire voir ! Pourquoi ne voulez-vous pas me le dire ?

Il m'empoigna par la chemise. Je ne m'y attendais pas. J'avais sa main gigantesque sur ma chemise. Il criait comme un gosse. Il criait :

– Non, toi, va te faire voir ! Va te faire voir à jamais et pour toujours ! A jamais et pour toujours ! (Je repoussai son bras. Ses doigts étaient pris dans le tissu. Il pleurait.) *Va te faire voir à jamais et pour toujours ! A jamais et pour toujours !*

Je parvins enfin à écarter son bras. Je reculai vers la porte.

Il resta là, à pleurer, en répétant :

– Va te faire voir, va te faire voir, va te faire voir.

Avant de refermer la porte derrière moi, je l'entendis encore demander à sa fille :

– Tu n'as pas entendu ça, hein, Vi ? Je regrette. Je regrette. Tu n'as rien entendu, n'est-ce pas ?

Je retraversai la maison en courant presque. Je butai sur quelques meubles. Le Multitude faisait une promotion sur les surplus militaires. On me proposait la bande-annonce du premier spectacle de la saison au *Klang*.

J'enfilai l'allée au pas de course. Je grimpai dans mon aérocar.

Je ne décollai pas immédiatement. Je ne démarrai même pas. Je restai simplement assis là un moment. L'aérocar me demanda où je souhaitais aller. Je ne répondis pas. Je restai assis là, sans bouger.

Finalement, je lui dis que je souhaitais rentrer à la maison.

L'aérocar me ramena.

Des kilomètres de banlieues-bulles, les puits, les tubes, les nacelles. Des flammes publicitaires à l'enseigne de centres commerciaux. Des parcs de caravanes sur plusieurs kilomètres de béton, les vitres couvertes de cendres. Des aérocars qui me croisaient en sifflant et dont les prix s'affichaient dans mon crâne.

Une fois chez moi, je tournai en rond dans ma chambre.

J'entendais Boule Puante jouer dans le salon avec ses figurines d'action. Je l'entendais imiter des bruits d'explosion avec sa bouche.

Je m'assis par terre.

J'arrachai mon pantalon, avec tant de violence que je le déchirai. J'ôtai mon sweat-shirt. Je lançai mon caleçon contre le mur. J'étais nu. Entièrement nu.

Je m'assis sur le tapis, en plein milieu de ma chambre. Je sentais l'odeur de ma propre sueur me monter aux narines. Je restais assis là.

Je commandai des pantalons de surplus militaires chez Multitude. C'était vraiment une affaire.

J'en commandai un autre. Je commandai pantalon après pantalon. Je les prenais tous de la même couleur. Ardoise. Je passais les commandes aussi rapidement que possible. J'entrais mon adresse encore et encore. Je grelottais de froid. J'avais les fesses gelées, les bras serrés autour des genoux. Je commandai pantalon sur pantalon. Je plaçais des ordres de suivi sur chacun d'eux. Je les suivais en temps réel. Je les sentais se déplacer à travers le système.

Je sentais mon compte se vider dans la nuit. Je sentais l'inquiétude monter à l'entrepôt, et l'emballage, je sentais l'emballage, et le transport, la distribution, le transit chez FedEx, les numéros, chaque fois, le numéro de commande, mon numéro de consommateur, qui s'échangeaient comme des mots de passe à la frontière. Et les produits sortaient, je les sentais affluer vers moi à mesure que la nuit s'écoulait.

Je les sentais en orbite.

Je les sentais circuler autour de moi comme le sang dans mes veines.

J'avais épuisé mon crédit. Il ne restait plus rien sur mon compte.

Je sentais les pantalons voler vers moi à travers la nuit.

Je restai debout jusqu'au petit matin, à frissonner et à commander, commander, et j'étais encore réveillé à l'aube quand j'enfilai mes vêtements et montai à la surface pour voir cette saloperie de soleil se lever sur cette saloperie de monde.

Deux jours plus tard, j'allai lui rendre visite.

Je m'habillai avec le plus grand soin, comme pour une occasion spéciale. Pendant tout le trajet, je ne cessai de tripoter ma chemise. J'essayai de rouler les manches à différentes hauteurs sur mon biceps.

Quand je m'arrêtai devant chez elle, son père m'ouvrit la porte. Il s'effaça et me laissa entrer sans prononcer un mot. Il traversa la cuisine et sortit par la porte de derrière. Je me rendis dans la chambre de Violet.

Elle était couchée là. Elle avait toujours les disques sur elle. Quelqu'un lui avait disposé les bras le long du corps, en dehors des draps. Ses yeux étaient toujours ouverts.

Je m'assis à côté d'elle. J'avais une heure devant moi avant de retrouver Quendy. Je posai la main sur son bras.

– Violet ? dis-je. Je ne sais pas si tu... Enfin, j'ignore si tu m'entends, mais je suis venu te... te raconter ce qui se passe, te mettre au courant, te parler un peu, quoi... J'ai aussi découvert deux ou trois trucs comme tu aimes. Des faits étranges. A propos des autres pays. J'ai pensé que ça pourrait te faire plaisir de les entendre.

Je m'efforçai de me concentrer uniquement sur

elle. Je m'efforçai d'occulter le bruit de fond de mon interface, les filles en T-shirt mouillé qui me proposaient du shampooing. Je lui racontai des histoires. Chaque histoire tenait en une phrase. C'était tout ce que j'étais capable de dénicher. Des fragments d'histoires. Alors, je lui racontai ce que je pouvais.

Je lui racontai que l'Alliance globale avait de nouveau mis en garde contre la possibilité d'une guerre totale si ses exigences n'étaient pas satisfaites. Je lui racontai que l'empereur Néron, à Rome, s'était fait construire une mer géante où il gardait des monstres marins et organisait des batailles navales. Je lui racontai que des émeutes avaient éclaté dans de nombreux centres commerciaux à travers toute l'Amérique et que personne ne savait pourquoi. Je lui racontai que le père Noël que nous connaissions – le vrai ? – avait été popularisé par la firme Coca-Cola dans les années 1930. Je lui racontai que la Maison-Blanche n'avait ni confirmé ni infirmé les rapports selon lesquels un bombardement intensif aurait commencé sur la plupart des grandes villes d'Amérique du Sud.

Je lui racontai :

– Selon un proverbe japonais, vivre équivaut à marcher d'un bout à l'autre des ténèbres, sur un pont de rêves. Nous franchissons tous le pont des rêves ensemble. Il n'existe rien d'autre. Rien que nous, sur le pont des rêves.

De l'autre côté de la fenêtre, son père travaillait

dans le jardin. Il était à quatre pattes, en train d'arracher les mauvaises herbes entre les fleurs. Son interface-sac à dos scintillait au soleil. Je l'observai. Au-dessus de lui, le ciel était tout bleu. Il tapotait la terre avec ses mains.

– Violet... Violet ? murmurai-je. Il y a encore une histoire que je voulais te raconter. Je reviendrai te la raconter aussi souvent qu'il le faudra. C'est ton histoire. Je ne veux pas que tu l'oublies. Quand tu te réveilleras, je veux que tu te souviennes de qui tu es. Moi, je m'en souviendrai. Tu seras toujours là, aussi longtemps que je me souviendrai de toi. Je te connais comme si je t'avais faite. Voilà l'histoire.

Et, pour la première fois, je me mis à pleurer.

Je pleurai, assis à son chevet, et je lui racontai notre histoire :

– C'est à propos de l'interface, commençai-je. C'est l'histoire d'un garçon tout ce qu'il y a de normal, qui ne réfléchit jamais à rien jusqu'au jour où, miracle ! il rencontre une dissidente au cœur d'or. A l'arrière-plan, on entrevoit l'Amérique en train de vivre ses derniers jours. C'est l'histoire de leur amour à tous les deux. C'est drôle à se taper sur les cuisses et, en même temps, profondément réconfortant. Et visuellement, c'est un régal. (Je lui pris la main et la portai à mes lèvres. Je murmurai à ses doigts :) Ensemble, les deux gamins grandissent, se livrent à de folles escapades et prennent une grande leçon d'amour. Ils apprennent à résister à l'interface.

Déconseillé aux moins de treize ans. A cause du langage, et de quelques scènes à caractère sexuel.

J'étais assis dans sa chambre, à son chevet, et elle
fixait le plafond. Je lui tenais la main. Sur un écran de
contrôle, son pouls oscillait faiblement.

Je voyais mon visage, en larmes, dans le reflet de
sa prunelle.

Vous avez du bleu à l'âme ? Habillez-vous en bleu !
C'est la grande fête du blue-jean dans nos entrepôts
en ce moment ! Les stocks s'arrachent des étagères
à des prix si avantageux que vous n'allez pas
en croire votre interface !

Tout doit disparaître !

Tout doit disparaître.

Tout doit disparaître.

Tout doit disparaître.

Tout doit disparaître.

Scripto, c'est aussi...

Scripto, c'est aussi...

Loi n° 49-956 du 16 juillet 1949
sur les publications destinées à la jeunesse
Maquette : anne catherine Boudet
Imprimé en Italie par G. Canale & C.S.p.A.
Borgaro T.se (Turin)
Premier Dépôt légal : Octobre 2004
Dépôt légal : Décembre 2005
N° d'édition : 141590
ISBN 2-07-055777-4